DES CHEVEUX CRÉPUS ET LONGS À LA PORTÉE DE TOUS

CREDIT PHOTOS :

123rf : © Kunanon Tuntasoot, © Viorel Sima, © Konstantin Semenov, © Frenk And Danielle Kaufmann, © Denys Semenchenko ; Fotolia : © maron ; Stock Free Images & Dreamstime Stock Photos : © Sandy_maya, © Photoeuphoria, © Tatianatatiana, © Robsonn, © Fredredhat, © Stiven, © Baung, © Starfotograf, © Podfoto, © Peterkozikowski, © Stougard, © Tutuvi, © Maek123, © Marilyna, © Azathoth973, © Karens4

ILLUSTRATIONS :

Kenoa

ISBN 979-10-92022-01-8

DES CHEVEUX CRÉPUS ET LONGS À LA PORTÉE DE TOUS

Recueil des secrets de soins capillaires enfin dévoilés

Kenoa

À toutes celles qui ont toujours rêvé d'avoir des cheveux longs avec leur propre texture. Ce rêve est à portée de main. Que ce livre vous redonne espoir et vous aide à atteindre vos objectifs.

Kenoa

SOMMAIRE

Des cheveux incapables de pousser ?

Enfant, je rêvais d'en finir avec les interminables soirées passées aux genoux de ma mère, pendant lesquelles elle tentait, exaspérée, de peigner mes cheveux crépus. Je rêvais d'avoir des cheveux bien raides, comme elle qui se défrisait les cheveux. Le défrisage était à mon sens la seule manière d'éviter ces séances de démêlage douloureuses et le meilleur moyen de transformer ma tignasse informe en chevelure resplendissante. Du moins tel était ma façon de penser à l'époque.

Malgré la réticence de mes parents, j'étais prête à passer au « *creamy crack* » (la drogue crémeuse), selon l'expression anglophone pour désigner le défrisage. J'en avais assez des interrogations perpétuelles de mes camarades de classes sur l'étrangeté de mes cheveux. J'en avais assez de leurs ricanements quand je passais au tableau, les jours où ma mère avait eu le « coup de folie » de me laisser les cheveux lâchés. S'il fallait passer par le défrisage pour avoir ce que j'estimais être de beaux cheveux, cela valait le coup.

S'en suivit alors mon premier passage chez la coiffeuse. La panique se lisait sur sa tête à mesure qu'elle défaisait ma coiffure. L'expression de son visage en disait long sur le fond de sa pensée : « Comment vais-je faire pour dompter cette touffe ? ». À travers la vitre transparente du salon de coiffure, les passants voyaient mes cheveux crépus. Ils semblaient compatir au désarroi de cette coiffeuse en me dévisageant. J'étais comme une bête de foire. Mais au regard des passants, en bonne « re-noi », je restais digne sans dire mots, me répétant intérieurement « il faut souffrir pour être belle ». Néanmoins, je ne voulais plus jamais être humiliée de cette manière. Je ne voulais plus revoir cette crinière crépue, et c'est à coup de décolorations, de brushings intempestifs et de défrisages mal faits que je tentais inlassablement de gommer ma « crépitude ».

Seulement, après quelques années de ce traitement impitoyable, je m'interrogeais sur l'état lamentable de mes cheveux. **Pourquoi mes cheveux ne poussaient-ils pas ?** En essayant de répondre à cette question, j'ai découvert un monde qui m'était jusque là totalement inconnu : le monde merveilleux des cheveux.

D'articles en articles, de livres en livres, de témoignages en témoignages, la découverte progressive de ce monde inexploré allait me faire comprendre une chose cruciale : **« les cheveux crépus poussent… exactement comme tous les autres types de cheveux »**. Incroyable ! Je n'étais plus la fille aux cheveux étranges, j'étais comme tout le monde. Mes cheveux n'étaient pas si bizarres que cela après tout.

Mais alors, pourquoi n'avaient-ils jamais dépassé la hauteur de mes épaules ? Ils étaient restés si longtemps à ce niveau, que j'en étais venue à croire à des théories hasardeuses sur une possible malédiction génétique. Les touffes de cheveux retrouvées dans mon lavabo et dans tous les recoins de mon appartement en étaient d'ailleurs la preuve ! Si mes cheveux avaient la capacité de pousser normalement, pourquoi ne poussaient-ils jamais ? Nous avons pourtant bien plus de produits capillaires à notre disposition que nos grands-parents ou même nos parents. À l'ère de la multiplication des compléments alimentaires, des centres de beauté, des salons de coiffure, des avancées scientifiques, des recherches sur actifs capillaires toujours plus poussées, on peut se demander pourquoi les résultats se font encore attendre.

La réponse peut être toute simple, mais encore faut-il en prendre conscience : il est difficile de prendre soin de ses cheveux quand on ne connaît pas les besoins nécessaires à leur survie.
En effet, en plus de croire à des légendes capillaires répandues de génération en génération au sein de ma communauté, j'avais une connaissance de mes cheveux très limitée. Leur état en était témoin. Le constat était donc clair : le problème n'était pas ma chevelure, le problème c'était moi et mon ignorance. Je ne savais pas prendre soin correctement de mes cheveux. J'ai alors cherché à élargir mon savoir sur les cheveux crépus pour comprendre leur fonctionnement. Et c'est ainsi que je me suis éprise d'un amour débordant pour eux, retrouvant ainsi cette confiance en moi que j'avais perdue lors de ma jeunesse.

Malheureusement, pour beaucoup de femmes aux cheveux crépus, cet univers capillaire, avec qui nous cohabitons pourtant depuis notre naissance, est en fait inconnu.

Se sont ainsi installés dans notre esprit des idées reçues et autres mythes, amplifiés par les mensonges médiatiques des grandes marques cosmétiques qui, en fin de compte, font des bénéfices avec nos problèmes au lieu de leur trouver des solutions. Cela nous cause bien des soucis. Des cheveux fourchus, cassants, secs, constamment emmêlés et durs à coiffer. Ces complications ont, peut-être, poussées certaines à penser que nos cheveux étaient d'une laideur insoutenable et qu'ils avaient tout à envier aux cheveux raides. Mensonge que j'ai longtemps tenu pour vrai.

Après m'être convaincue que personne ne pouvait s'occuper de mes cheveux mieux que moi-même, il me fallait comprendre comment je pouvais améliorer leur état et mettre fin à cette spirale de pensées pessimistes et dévalorisantes.

J'ai donc le plaisir de partager avec vous le fruit de mes recherches, de mes observations et de ma passion. Celles-ci révèlent les multiples facettes de nos cheveux et leur beauté étonnante. Mais aussi, l'absolue nécessité de soigneusement les chouchouter.

Introduction

Je me suis passionnée pour le cheveu crépu. Kenoa est un pseudonyme dérivé de mon vrai nom. Il a été établi afin de conserver l'anonymat. C'est aussi la partie de moi qui se révolte contre un système économique qui prône la rentabilité avant la santé du consommateur. Un système que j'ai étudié pendant des années, et que je côtoie quotidiennement.

En effet, j'ai fait mes études dans une prestigieuse école de commerce, puis j'ai travaillé dans le milieu de la finance et du marketing. Je connais donc bien les techniques commerciales utilisées pour tromper le consommateur et lui faire acheter toujours plus.

C'est déçue que je me suis rendue compte que ces stratégies mensongères étaient grossièrement utilisées par l'industrie des cosmétiques conventionnelles, notamment dans le secteur des produits capillaires dit « ethniques ». Et c'est révoltée que je me suis aperçue que la majorité des femmes aux cheveux crépus, moi-même y compris, était tombée dans la supercherie.

Après m'être sérieusement intéressée au fonctionnement du cheveu crépu, aux composants cosmétiques et à leur véritable utilité, j'ai décidé de diffuser mes connaissances sur mon site kinkyfrizzycurly.blogspot.fr.

Le but de ce site et de ce livre est de faire connaître ma passion au plus grand nombre, et surtout de donner des informations vraies et utiles destinées à aider les femmes à faire pousser leurs cheveux crépus.

Tout au long de cet ouvrage, le terme « crépu » s'entendra au sens élargi. Il qualifiera des cheveux à boucles serrées, quelque soit leur degré de frisure, de type afro ou métissé.

Ce livre est l'exposition non exhaustive des lois naturelles qui régissent le fonctionnement de nos cheveux. Il est aussi l'exposition de ma propre opinion quand à l'exploitation de ces lois, en vue de l'entretien capillaire. Certes les informations contenues dans ce livre portent mes empreintes ; je pense pourtant sincèrement qu'elles aideront toutes les chevelures crépues à pousser.

Le but de l'ouvrage est de rendre toute femme responsable de la beauté de ses cheveux. Le coiffeur et les fabricants de cosmétiques capillaires peuvent s'avérer être des aides précieuses, lorsqu'ils savent de quoi ils parlent, mais ils ne peuvent nous conseiller que ponctuellement et partiellement. Dépenser de l'argent chez eux nous rassure, mais ne nous rend pas plus responsable. **C'est à chacune d'entre nous de maîtriser l'entretien de ses propres cheveux.** Il s'agit là de devenir des actrices de notre croissance capillaire, et non de simples suiveuses d'instructions dont nous ne connaissons même pas la valeur.

Savez-vous pourquoi le cheveu crépu est souvent sec ? Savez-vous comment le faire pousser et le protéger de la casse ? Connaissez-vous ses besoins ? Savez-vous quels produits utiliser ? Pourquoi vos cheveux sont comme de la paille après votre shampoing ? Pourquoi les après-shampoings vous rendent-ils les cheveux soyeux ? Pourquoi vos cheveux restent secs alors que vous appliquez de la vaseline tous les jours ? Si vous n'avez pas de réponses précises à ces questions, ce livre est fait pour vous.

Ce premier ouvrage s'adresse aux débutantes comme aux initiées. Je l'ai voulu accessible. Il peut être lu de façon classique, chapitre après chapitre, ou en sélectionnant les parties qui complètent vos connaissances.

Pour prolonger ce partage, retrouvez-moi sur le site lesastucesdekenoa.com sans hésiter à y poser vos questions.

Attention

Les informations contenues dans ce livre ne constituent pas un avis ou un service médical. Elles ne se substituent, en aucun cas, aux recommandations et traitements prodigués par les professionnels de la santé.

1

Quelles différences entre les types de cheveux ?

« Un cheveu est un cheveu. » Qu'il soit caucasien, asiatique ou africain. Qu'il soit raide, bouclé ou crépu. Qu'il vienne d'une tête masculine ou féminine, blonde ou brune. Il n'y a pas de différence de structure entre ces cheveux, d'aspects pourtant distincts. Ils fonctionnent tous globalement de la même façon. Ils ont tous la même composition chimique.

Il me semble indispensable de débuter par la description de ce cheveu, élément apparent de notre corps humain et composante essentielle de notre hygiène quotidienne. De plus, il est toujours plus facile d'assimiler les gestes nécessaires pour l'entretien et la croissance de nos cheveux si nous connaissons leurs caractéristiques principales.

1. UN CHEVEU, C'EST QUOI ?

Nos cheveux, nous les voyons tous les jours. Ils peuvent nous sembler réactifs à notre humeur, à notre état physique et à la pollution, au même titre que n'importe quel autre organe de notre corps. Ils sont parfois ternes, parfois brillants. Ils sont parfois gras, parfois secs. Parfois soyeux et parfois rêches.

En réalité, **les cheveux que nous voyons sont morts.** En effet, la partie visible de nos cheveux n'est pas auto-suffisante. Elle ne peut pas puiser d'énergie pour se maintenir en vie et garantir sa croissance. Elle n'a pas la capacité à se renouveler ou à évoluer de manière indépendante. Elle ne peut pas non plus se nourrir elle-même pour exister. Les cellules des cheveux visibles sont mortes, elles ne se divisent pas comme le font les cellules vivantes.

Il est important de le comprendre. Car, par conséquent, appliquer un produit sur les longueurs (la partie visible des cheveux) ne peut pas stimuler leur pousse, contrairement aux promesses divulguées sur les emballages. **Les produits capillaires classiques (shampoing, après-shampoing, crème…) n'ont que des vertus cosmétiques.** C'est-à-dire qu'ils ne sont destinés qu'à être appliqués sur une partie superficielle de notre corps. De ce fait, leur champ d'action est également superficiel. Il se restreint à l'amélioration de l'apparence des cheveux.

LA STRUCTURE CAPILLAIRE

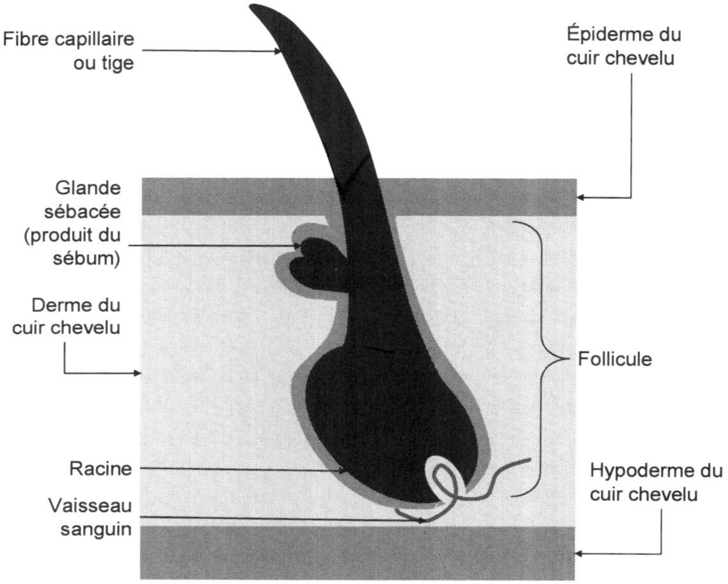

Anatomie du cheveu (coupe transversale)

Le cuir chevelu

C'est lui qui protège notre tête des événements extérieurs comme les rayonnements solaires, la pollution et le froid, de la même façon que la peau qui protège le reste de notre corps. Cuir chevelu et peau ont d'ailleurs une composition similaire, constituée de l'épiderme (la couche supérieure, visible), du derme (au milieu) et de l'hypoderme (la couche inférieure).

Le cuir chevelu, bien que paraissant inerte à l'œil nu, est bien actif. C'est un labyrinthe de tissus graisseux et de vaisseaux sanguins transportant des nutriments, de l'oxygène et du glucose. C'est aussi une « machine à hydratation ». L'eau, puisée dans le corps, y circule de façon organisée, jusqu'à son évaporation dans l'environnement.

Par conséquent, de beaux cheveux proviennent d'un cuir chevelu propre, maintenu bien hydraté et flexible grâce à une bonne circulation sanguine.

La minute scientifique : les pellicules

Les cellules mortes et dures qui constituent l'épiderme sont constamment remplacées par d'autres, à mesure que de nouvelles cellules se créent puis meurent. Ce phénomène active la formation de squames. Ces flocons de cellules mortes deviennent visibles quand le cuir chevelu est déshydraté ou irrité. Dans ces cas, la desquamation s'accélère et apparaît alors ce qu'on appelle les pellicules. Il en existe deux sortes : les pellicules sèches provenant d'un cuir chevelu déshydraté, et les pellicules grasses résultant d'un excès de sébum.

Sachez que les produits antipelliculaires sur le marché ne sont pas formulés pour combattre les pellicules provenant simplement d'un cuir chevelu sec. Ils combattent les pellicules causées par le pityriasis, un champignon qui accélère la régénération des cellules. Assurez-vous bien auprès d'un spécialiste que vous souffrez du pityriasis avant d'utiliser un antipelliculaire.

Le follicule pileux et la racine

Nous savons que les cheveux sont biologiquement morts. Or, nous perdons 50 à 150 cheveux par jour et nous ne sommes pas chauves pour autant. C'est bien la preuve que les cheveux se renouvellent. S'ils sont morts, comment expliquer qu'ils repoussent ?

C'est simple : la vie frétille dans le follicule pileux, à seulement 4 millimètres sous l'épiderme du cuir chevelu. C'est à cet endroit caché que se situe la racine, siège du renouvellement et du développement capillaire. C'est là que les 100 000 cheveux que nous portons sur notre tête prennent naissance. Puisque c'est dans la racine qu'est la vie, c'est là que le cheveu puise les éléments nécessaires à son développement. C'est également là qu'est produite la kératine. Cette protéine est d'ailleurs responsable de la pousse, tant convoitée.

La minute scientifique : le muscle arrecteur

Dans les racines de chacun de nos cheveux, se situe un minuscule petit muscle, le muscle arrecteur, qui est lié à notre cuir chevelu. C'est lorsque ce muscle se contracte que nos cheveux se dressent sur notre tête. Il nous permet de réguler la température de notre corps suite à une émotion forte comme le stress, le froid, la peur ou la colère.

La tige (fibre capillaire)

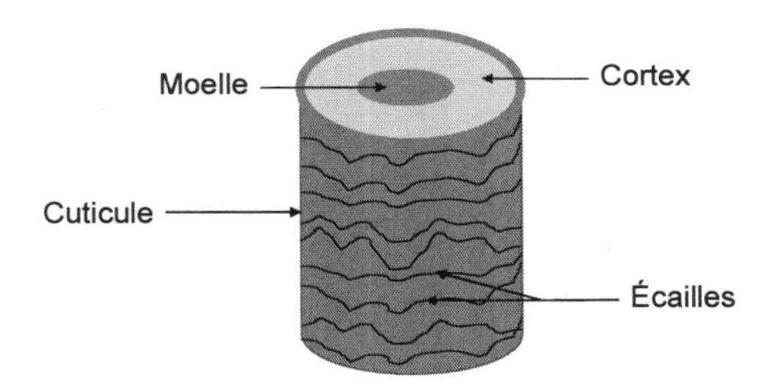

Illustration de la tige (ou fibre capillaire)

La tige est la partie du cheveu qui sort de sa matrice nourricière ; c'est la partie visible, celle qui est morte. La tige ainsi formée, parfois plus petite qu'un simple fil, est encore constituée de 3 grandes régions.

La **moelle** ou région médullaire : c'est le centre de la tige. Elle est creuse. Cependant, elle est inexistante chez les cheveux blonds et fins.

Le **cortex** : c'est le corps de la tige. Il contient les kératines échappées de la racine. Les chaînes de kératines y sont allongées et s'entrelacent pour donner au cheveu sa structure, son élasticité et sa solidité. Le cortex absorbe l'eau très vite et a besoin de la protection de la cuticule pour ne pas « se noyer ».

La **cuticule** : c'est la surface de la tige. Elle est faite d'écailles orientées vers le bas et superposées comme les tuiles d'une maison. Elle constitue une enveloppe protectrice pour le cortex. Elle est endommagée quand les écailles sont soulevées ou déchirées. Et plus elle est endommagée, plus le cortex peut être exposé aux agressions extérieures. Un cheveu en mauvais état peut découler d'un cortex agressé.

Par conséquent, la cuticule est le champ d'application des produits cosmétiques. Un des enjeux majeurs de l'entretien capillaire sera de garder la cuticule le plus intact possible, pour que nos cheveux conservent une belle apparence.

Des cheveux en bonne santé, c'est le résultat d'un cuir chevelu sain, d'une bonne circulation sanguine, de racines correctement nourries par les apports de l'organisme (eau, nutriments…) et de cuticules non endommagées pour une meilleure protection du cortex.

LA CHIMIE CAPILLAIRE

Le sébum

Le plus connu des lipides capillaires, c'est le sébum. Il est produit par les glandes sébacées situées sur les follicules (voir l'illustration p. 17). Il se renouvelle tous les 100 jours environ. Ce lipide forme un film protecteur lubrifiant sur la cuticule qui permet au cheveu de retenir l'hydratation et donc, de rester brillant et solide. De ce fait, les produits cosmétiques hydratants essayeront de dupliquer les propriétés des lipides capillaires comme le sébum, en incluant des ingrédients comme les triglycérides, les acides gras et le cholestérol.

La kératine

C'est la matière première du cheveu, son composant principal (à 90 % environ). La kératine est une protéine fibreuse produite par des cellules situées à la racine du cheveu, les kéranocytes.

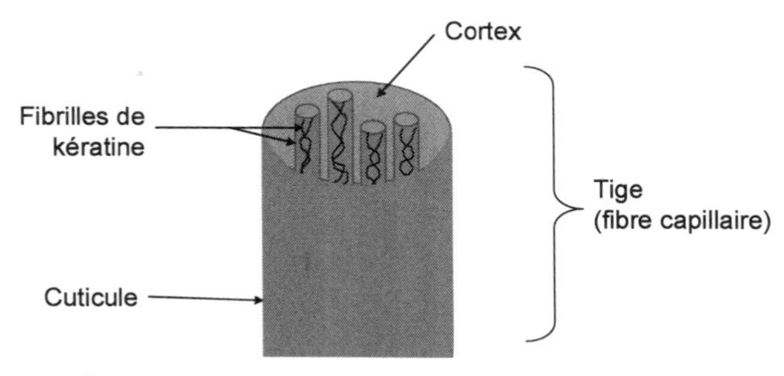

Illustration des fibrilles de kératine dans la tige

Ces cellules se placent autour du follicule pileux pour former des gaines. À mesure que les cellules se remplissent de kératine (processus de kératinisation), elles s'allongent jusqu'à sortir de la racine pour former la tige. La cuticule est donc composée d'écailles durcies par la kératine. Dans le cortex de la tige, cette kératine est aussi présente sous forme de petits filaments appelés fibrilles.

À quoi sert la kératine ?

Ses propriétés sont multiples. Elles garantissent la beauté de nos cheveux :

- Perméabilité : la kératine permet aux cheveux d'absorber l'eau.
- Élasticité : elle permet d'avoir des boucles bien définies.
- Résistance : la kératine est très difficile à casser. Une chevelure pourrait supporter en théorie jusqu'à 12 tonnes de pression !
- Malléabilité : grâce à elle, les cheveux peuvent prendre des formes différentes.

Un cheveu cassant est donc un cheveu qui contient peu de kératine.

En outre, la solidité des cheveux est renforcée par le fait que les fibrilles de kératine sont fabuleusement liées entre elles par des liaisons spéciales.

Les liaisons

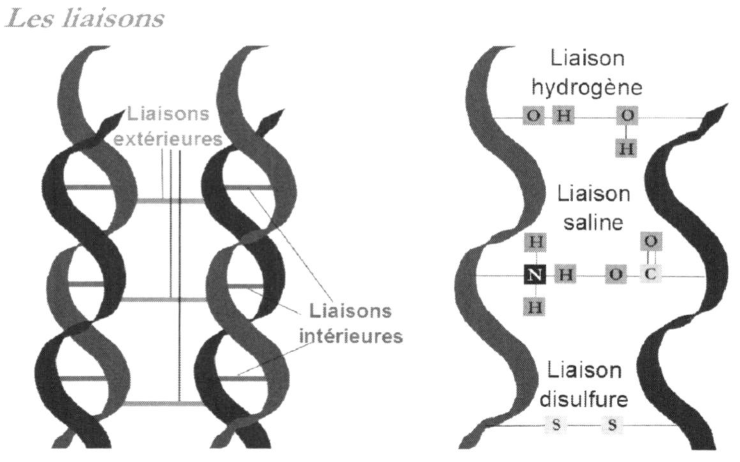

Illustration des liaisons entre les fibrilles de kératine

Les liaisons assurent la cohésion des fibrilles de kératine dans le cortex. Ces liens confèrent aux cheveux leur solidité. Dès qu'ils sont rompus, les cheveux sont plus fragiles et peuvent s'abîmer.

Les **liaisons hydrogènes** sont les liens les plus faibles ou, en tout cas, les plus faciles à casser. Ce sont aussi les plus simples à restaurer. Elles sont rompues lorsque nous mouillons nos cheveux ou lorsque nous leur appliquons de la chaleur (à l'aide d'un sèche-cheveux, d'un casque chauffant ou encore d'un fer à lisser) d'une température supérieure à 27 °C. Une fois humidifiés ou chauffés, les cheveux pourront être mis en pli, les chaînes de kératine seront alors déplacées. Puis en séchant ou en refroidissant, ces chaînes et par conséquent les cheveux, garderont la forme donnée. En effet, le séchage après humidification et le refroidissement après l'utilisation d'outils chauffants permettent aux liaisons hydrogènes de se reconstituer. C'est la technique utilisée pour les lissages thermiques comme le brushing.

Les **liaisons salines** sont également temporaires. Elles se rompent lorsque le pH (potentiel hydrogène) capillaire est modifié. Le pH mesure, entre autre, le degré d'acidité ou de basicité d'une solution aqueuse :

- un pH acide est un pH compris entre 0 et 7,
- un pH basique est un pH compris entre 7 et 14,
- un pH de 7 est donc un pH neutre.

Les cheveux ont un pH naturel acide compris entre 4 et 5,5.

Lorsqu'un produit plus acide est appliqué sur les cheveux (par exemple du jus de citron d'un pH de 2) les cuticules se resserrent et se referment. Les cheveux peuvent apparaître plus brillants car ils glissent les uns sur les autres.
Quand est appliqué un produit plus basique (par exemple un défrisant d'un pH de 11 ou plus), les cuticules s'ouvrent et se lèvent. Les cheveux paraissent donc secs et emmêlés, les cuticules soulevées s'accrochant les unes aux autres.
Néanmoins, il faut éviter les produits trop acides (pH < 2) ou trop basiques (pH > 12), car ils peuvent dissoudre ou brûler les cheveux. Pour cette raison, les produits capillaires sont formulés avec un pH proche de celui des cheveux. Les shampoings ont généralement un pH de 6, les après-shampoings de 4 et les lotions hydratantes de 5.

Les **liaisons disulfures** (à base de soufre) sont, elles, plus solides et plus durables. La rupture de ces liens soufrés est définitive. Plus ces liaisons sont nombreuses, plus les cheveux sont bouclés. Une chevelure crépue contient donc plus de ponts disulfures qu'une chevelure raide par exemple. Ces ponts ont, de ce fait, une importance capitale pour le maintien de nos boucles. Dès que nos liaisons disulfures sont rompues, cela se voit immédiatement : frisottis, aspect sec et rêche et boucles mal définies.
Ces liaisons ne peuvent être cassées que par des procédés chimiques comme le défrisage ou la permanente. Étant donné que la rupture des liens disulfures est permanente, les dommages causés par ces ruptures sont aussi permanents.

Pour cette raison, l'effet des procédés chimiques persiste même après s'être mouillé les cheveux. Le défrisage, par exemple, n'est pas capable d'améliorer l'état de nos cheveux puisqu'il détruit irréversiblement ces liaisons de kératine.

Ci-dessous, un tableau récapitulatif :

	Liaison hydrogène	**Liaison saline**	**Liaison disulfure**
Type de liaison	Faible	Faible	Forte
Nature de la rupture	Temporaire	Temporaire	Permanente
Rupture causée par	Eau et chaleur	pH différent du pH des cheveux	Manipulation chimique
Reconstruction des liaisons par	Séchage ou refroidissement	Normalisation du pH entre 4 et 5,5	Impossible
Exemples de manipulation	Brushing, mise en pli…	Défrisage, rinçage au citron…	Défrisage, permanente, wave…

Des cheveux en bonne santé, ce sont des cheveux qui ont une bonne teneur en kératine et en lipides (sébum). Mais ce sont aussi des cheveux dont les chaînes de kératines sont correctement liées entre elles par les ponts hydrogènes, salins et surtout disulfures.

2. COMMENT LE CHEVEU POUSSE-T-IL ?

La kératine s'allonge en partant du follicule, puis se durcit et sort du cuir chevelu pour former la tige. **C'est ce phénomène de kératinisation qui explique la croissance des cheveux.**

Notez que, contrairement à ce qu'on a coutume de penser, le cheveu pousse par la racine et non pas par les bouts. Les pointes sont donc les cheveux les plus anciens. Pour cette raison, elles sont souvent abîmées. Non seulement car c'est la partie des cheveux la plus éloignée du cuir chevelu (sa matrice nourricière), mais aussi car c'est la partie qui a été exposée le plus longtemps aux agressions quotidiennes. La protection des pointes est un élément primordial de l'entretien capillaire des cheveux crépus.

LE CYCLE CAPILLAIRE

Un cheveu ne pousse pas continuellement, il se repose, puis cède sa place à un autre cheveu plus neuf. On distingue 3 grandes étapes dans la pousse du cheveu.

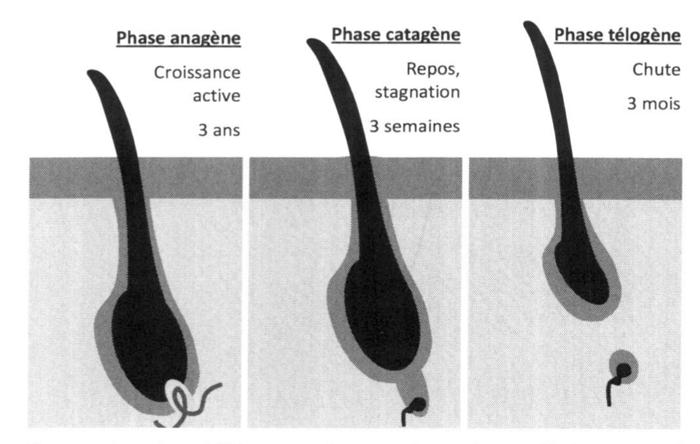

Illustration des différentes étapes du cycle capillaire normal

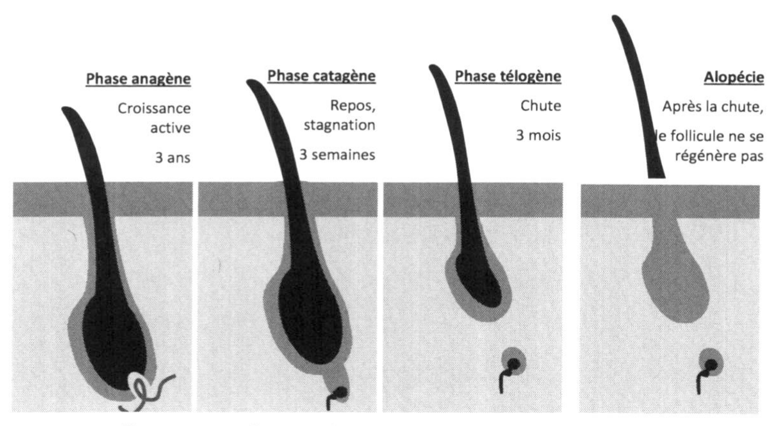

Illustration d'un cycle capillaire anormal (alopécie)

La phase de croissance ou anagène

Cette phase témoigne de la multiplication des cellules dans la racine. Elles deviennent si nombreuses que la racine ne peut les contenir. Elles sortent à mesure qu'elles se multiplient et deviennent visibles sous la forme que nous connaissons. Cette phase dure de 3 à 7 ans, selon les individus. À un instant T, environ 85 % de nos cheveux sont dans cette phase.

La phase de repos ou catagène

La racine ne produit plus de cellules. Le cheveu stagne et ne pousse plus. Cette phase dure 3 semaines en moyenne.

La phase de chute ou télogène

Le follicule dégénère puis se régénère. Concrètement le cheveu tombe et un autre le remplace. Cette étape dure 3 mois en moyenne, mais s'allonge avec l'âge. On parle de chute de cheveu quand le cheveu est dans cette phase. Il n'y a donc rien d'anormal à avoir une chute de cheveu, cela fait partie du processus capillaire ordinaire.

Le phénomène devient inquiétant quand cette phase dure trop longtemps ou quand les cheveux tombés prennent trop de temps à être remplacés par de nouveaux, c'est le cas lors d'une alopécie ou d'une calvitie. En effet, l'alopécie se caractérise par un épuisement des follicules qui se mettent à produire des cheveux de plus en plus fins, puis plus rien du tout. La calvitie est alors une forme extrême d'alopécie.

Par ailleurs, il est important de noter que le cheveu qui tombe a un bulbe blanc, car le follicule cesse de produire de la mélanine en phase télogène. Si les cheveux que vous perdez n'ont pas de bulbe blanc, c'est que ce sont des cheveux cassés à divers endroits du cheveu. Cette casse peut être le résultat de peignages ou de brossages trop brusques, mais aussi du défrisage. Lorsque les cheveux repoussent, la zone de démarcation avec les longueurs défrisées est affaiblie et les cheveux se cassent à cet endroit.

La minute scientifique : la grossesse

Quand les femmes sont enceintes, les hormones bloquent le cycle capillaire en phase de croissance (anagène) et de repos (catagène). Les cheveux sont donc plus denses, puisqu'ils ne passent pas par la phase de chute (télogène). Les femmes enceintes ont donc plus de cheveux sur la tête qu'en temps normal.
Par contre, une fois le bébé né, les cheveux qui auraient dû tomber pendant la grossesse tombent parfois d'un seul coup, jusqu'à 6 mois après l'accouchement !

LA VITESSE DE POUSSE

Elle est en moyenne de 1 cm par mois. Ce n'est qu'une moyenne. Il semblerait que les cheveux crépus poussent plus lentement. Mais ils poussent malgré tout. Si nos cheveux poussent normalement, pourquoi avons-nous l'impression qu'ils ne peuvent pas être longs ? La raison, souvent, n'est pas la chute de cheveu mais plutôt un taux de casse supérieur à un taux de pousse.

Par exemple, si vos cheveux en phase anagène ont poussé de 5 cm en 6 mois mais qu'ils se sont cassés de 6 cm durant cette même période, ils vont paraître plus courts de 1 cm. Mais cela ne veut pas dire qu'ils n'auront pas poussé ! Ce problème de casse est l'une des explications principales de la stagnation de la longueur de nos cheveux. Ainsi, un élément central de l'entretien capillaire du cheveu crépu va consister à réduire la casse capillaire.

Des cheveux en bonne santé, ce sont des cheveux qui suivent un cycle capillaire ordinaire. La chute est donc normale, c'est la casse qui ne l'est pas.

3. LES TYPES DE CHEVEU

Nous l'avons bien compris, ce n'est pas parce qu'un cheveu est frisé qu'il fonctionne différemment d'un cheveu raide. Cheveu frisé et cheveu raide sont composés des mêmes éléments.

Ce qui fait la différence entre les types de cheveux c'est uniquement la répartition de ces éléments. **Cette différence est visible à l'œil nu, notamment par la couleur et la forme du cheveu.**

LA COULEUR

Qu'on soit brun, roux, blond ou châtain, la couleur naturelle de nos cheveux est toujours déterminée par la mélanine. Cette molécule est produite par les cellules de la racine. Elle est ensuite transférée jusqu'aux pointes, dans le cortex de la tige. Il suffit en fait de très peu de mélanine pour donner sa couleur au cheveu.

Après un certain âge, elle cesse d'être produite, c'est ce qui nous donne des cheveux blancs, c'est-à-dire des cheveux sans pigmentation.

LA FORME

La forme naturelle de nos cheveux est déterminée par la forme de nos follicules. Cette forme est définie dès notre création, et aucune manipulation (défrisage, brushing, permanente, etc.) ne peut la transformer. **Plus le follicule est incurvé, plus le cheveu est ovale, et plus les boucles du cheveu seront serrées.**

Le cheveu crépu est ovale car la courbe du follicule crée une pression sur le cheveu à sa sortie du cuir chevelu. Cette pression donnera à la tige la capacité de se retourner sur elle-même, créant ainsi des boucles. À l'inverse, un cheveu raide provient d'un follicule circulaire, il sort donc droit du cuir chevelu.

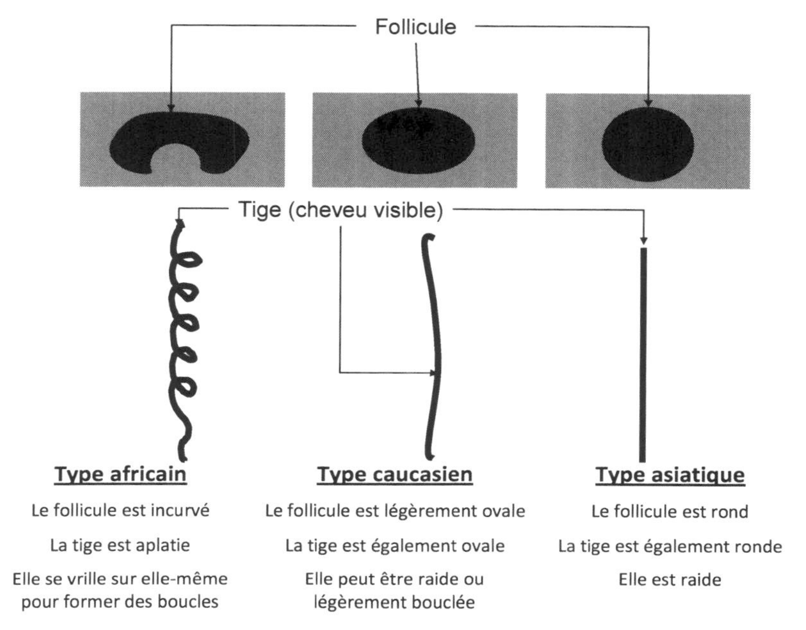

Illustration des différentes formes de cheveu

La minute observation : la tige

Les cheveux crépus rendus raides par le défrisage ou le brushing conservent tout de même leur propriété capillaire incurvée. Si bien qu'au toucher, il est encore possible de rencontrer des zones plus plates que d'autres, signe que la tige se vrille naturellement sur elle-même.

LA CLASSIFICATION DES CHEVEUX

Il est difficile de classer les cheveux selon leur forme, car il existe autant de formes de cheveu que de degrés de courbure de follicule. Il existe tout de même plusieurs classifications largement reconnues. Elles ont l'avantage de clarifier les termes communément utilisés pour décrire les cheveux.

L'origine géographique comme critère principal

Cette classification est très utilisée par la communauté scientifique. Elle répartit les cheveux en 3 groupes, selon leur taux de pousse, leur densité et leur aspect :

Type	Pousse	Densité	Aspect
Cheveu africain	La plus lente. 0,9 cm par mois. Pousse parallèle au cuir chevelu en se retournant sur lui-même.	Densité moyenne	Le plus fin et le plus sec
Cheveu asiatique	La plus rapide. 1,3 cm par mois. Pousse perpendiculaire au cuir chevelu, de manière droite.	Densité la plus faible	Le plus épais
Cheveu caucasien	Pousse intermédiaire. 1,2 cm par mois. Pousse oblique en formant quelques courbes.	Densité la plus forte	Intermédiaire

Ce regroupement est assez succinct, vu la palette de textures capillaires que l'on rencontre dans la réalité. De plus, je trouve qu'utiliser l'origine culturelle pour définir un type de cheveu est restrictif, étant donnée l'augmentation des métissages ethniques actuels. Ma copine métissée chinois/congolais aurait bien du mal à trouver son groupe !

Cette classification a néanmoins le mérite d'éclaircir un point : le cheveu africain n'est pas un cheveu épais et robuste contrairement à ce qu'on pourrait penser. C'est le plus fin de tous, d'où l'importante nécessité de bien le protéger.

Hiérarchisation des formes

Cette classification a été inventée par Andre Walker, le coiffeur de la célèbre Oprah Winfrey, dans son livre ***Andre Talks Hair !***. Il a classé les cheveux en 4 grands groupes (divisés en sous-groupes A, B et C), selon leur aspect, du plus raide au plus crépu :

Illustration du Type 1

Type 1 : cheveux les plus raides caractérisés, selon l'auteur, par une fibre capillaire à tendance grasse, non sèche, brillante, ne retenant pas les boucles et difficile à abîmer.

Illustration du Type 2 (A, B et C)

Type 2 : cheveux ondulés en forme de « S » et pouvant être fins, moyens ou épais.

Illustration du Type 3 (A, B et C)

Type 3 : cheveux bouclés, également en forme de « S », mais ayant une tendance à friser, surtout avec l'humidité. Ils se coiffent facilement. Quand ils sont abîmés, ils frisottent, ils sont ternes, secs et durs au toucher.

Illustration du Type 4 (A, B et C)

Type 4 : cheveux très frisés et crépus. Ils sont très fragiles. Même s'ils paraissent être robustes et épais, ils sont en réalité fins, mais très denses. Ils rétrécissent énormément

(« *shrinkage* » en anglais). Ils se cassent facilement et manquent souvent d'hydratation.

Ce livre traite de l'entretien des cheveux de type 3 et de type 4.

Cette typologie permet d'affiner les classifications basées simplement sur l'origine géographique. Elle a le mérite d'identifier les problèmes récurrents des cheveux crépus évoluant en milieu occidental : la casse et le manque d'hydratation.

Cependant, il reste difficile de trouver à quel groupe on appartient. De plus, cette méthode est accusée de hiérarchiser les cheveux du meilleur (type 1) au pire (type 4), plutôt que de les classer objectivement. En effet, le type 1 est associé à des adjectifs positifs comme « difficile à abîmer », « très résistants », « brillants », « facile à manier », et plus on descend dans la classification et plus on rencontre les termes « abîmés », « secs », « durs » et « compacts ».

Classer avec impartialité

Il existe une classification qui n'établit pas de hiérarchie. C'est le système LOIS, développé par le site www.ourhair.net dans un souci d'objectivité. Elle est fondée sur 3 critères : la forme (L, O, I et/ou S), l'épaisseur (le cheveu est comparé à un fil de couture) et la texture (selon l'éclat et la brillance du cheveu).

Forme	Epaisseur	Texture
L – se plie en angle droit, avec peu ou pas de courbes	Fin si inférieur à la taille d'un fil de couture	Filiforme – faible éclat mais forte brillance si le cheveu est tiré. Peu de frisettes. Vite saturé d'eau mais sèche aussi rapidement.
O – se retourne sur lui-même, en spirale	Moyen si égal à la taille d'un fil de couture	Raide – éclat scintillant mais faible brillance. Peu de frisettes. L'eau y glisse et ne semble pas y pénétrer totalement.
I – reste plat et raide	Épais si supérieur à la taille d'un fil de couture	Cotonneux – faible éclat mais forte brillance si le cheveu est tiré. Beaucoup de frisettes. Absorbe vite l'eau, mais se gorge d'eau lentement.
S - ondulé		Spongieux – faible éclat. Forte brillance. Frisettes compactes. Absorbe l'eau avant qu'il soit complètement mouillé.
Combinaisons possibles : LO, IL, OS…		Soyeux – Faible éclat, très forte brillance. Se gorge d'eau facilement.

Probablement à cause de son manque de clarté, cette méthode est peu utilisée.

Les classifications sont-elles utiles ?

Je salue l'effort de structuration fourni par les créateurs de ces classifications. Je reconnais également l'utilité d'avoir une description précise des différents types de cheveux. Il est vrai que la perception d'une texture de cheveu est souvent relative et il est bon d'être sur la même longueur d'onde. Par exemple, pour certains les cheveux crépus sont simplement des cheveux légèrement bouclés ; pour d'autres, ce sont des cheveux très frisés aux boucles très rapprochées et pas forcement définies. Une classification permet de s'accorder sur le sens des mots.

Toutefois, même si j'arrive à trouver à quelle catégorie j'appartiens, je ne sais toujours pas comment les entretenir. Non seulement il y aura toujours des personnes « inclassables », puisqu'il y a presque autant de types de cheveux que d'individus, mais encore, deux personnes appartenant à un même groupe peuvent réagir différemment à un même produit capillaire. **Chaque cheveu est unique**.

Selon moi, **il faut aussi considérer d'autres critères davantage liés à la santé des cheveux.** C'est ce type de critère qui va nous permettre de connaître les besoins de nos cheveux, et donc d'adapter notre méthode d'entretien capillaire.

Les parties suivantes auront pour objectif d'identifier les causes de la mauvaise santé de nos cheveux et les moyens d'y remédier.

2

Les besoins spécifiques aux cheveux crépus

À l'école, avant que je ne cède au défrisage, mes camarades de classe, pour la plupart de type caucasien, étaient fascinés par mes cheveux naturels. Chaque lundi j'arrivais avec une coupe différente : des nattes à la façon Brandy, des vanilles (ou twists), des tresses couchées à la façon Alicia Keys, ou encore les cheveux tirés en queue de cheval en forme de pompon (afro puff). Et chaque lundi j'avais droit au même refrain : « comment tu arrives à faire ça ? », « comment tes cheveux font pour tenir ? », et encore « je peux toucher ? ». Les remarques les plus blessantes étaient du genre « c'est marrant tes cheveux ressemblent à des poils de fesse ».
Ces réactions m'ont longtemps agacée. J'avais l'impression d'être un zoo ambulant. J'en venais même à me demander si je n'étais pas d'une autre espèce.

C'est peut-être par peur de ce type de réactions, justement, que beaucoup de femmes aux cheveux crépus tentent fréquemment de se lisser les cheveux, comme moi j'ai pu le faire avec le défrisage. Comme si, pour être dans la norme, il fallait avoir les cheveux raides. L'industrie cosmétique nous colle d'ailleurs l'étiquette « ethnique », comme si nous étions une minorité exotique exceptionnelle. Pourtant, près de 65 % de la population mondiale a les cheveux bouclés. Nos cheveux, pourtant si commun dans le monde, paraissent si rares. Quand ils sont laissés au naturel, ils créent la surprise. Leur capacité à prendre tant de formes différentes et inattendues est stupéfiante.

Pour conserver leurs propriétés étonnantes, nos boucles doivent recevoir des soins appropriés. Car ce qui fait leur particularité fascinante, peut aussi faire leur faiblesse en l'absence d'entretien régulier.

1. LES PARTICULARITÉS DU CHEVEU CRÉPU

L'observation générale qui peut être faite sur les cheveux crépus est qu'ils sont d'un naturel sec.

À cause de cette sécheresse naturelle, qui peut également être aggravée, nos cheveux ne peuvent pas résister aux agressions extérieures et à celles que nous leur faisons subir. La moindre traction ou pression (brosse, vent, élastique, sèche-cheveu, coloration, etc.) se solde alors par de la casse.

Qu'est ce qui rend notre cheveu si fragile ?

LES PARTICULARITÉS GÉNÉTIQUES

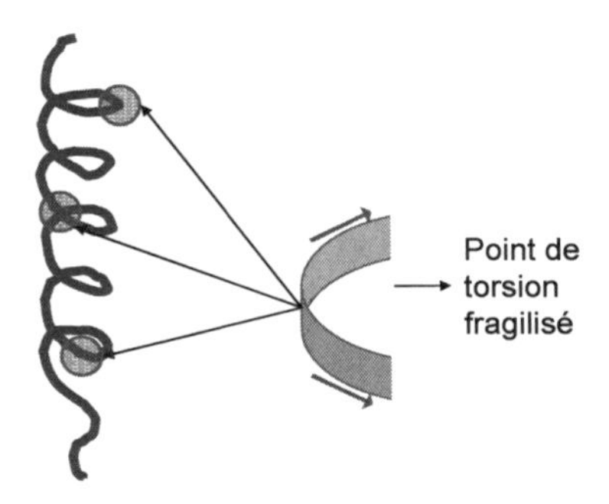

Illustration sur cheveu crépu des points de torsion exposés à la casse

Comme souligné dans la première section, le cheveu crépu est torsadé et aplati (voir p.35). Sa racine incurvée le programme à être ainsi. **Chaque endroit où tourne le cheveu est une zone fragilisée** présentant alors un risque de casse.

Par ailleurs, les cheveux crépus se tournent sur eux-mêmes et donc **s'emmêlent plus facilement**. Il est nécessaire de faire très attention lorsqu'on les démêle, pour ne pas les casser.

En outre, **le sébum a plus de mal à parcourir l'ensemble de la tige jusqu'à la pointe** lorsque le cheveu n'est pas droit. Le cheveu crépu bénéficie donc moins de la lubrification naturelle apportée par le sébum. En conséquence, il est plus sec et moins résistant.

La teneur en protéines de nos cheveux est essentielle. Comme nous l'avons vu plus tôt, les boucles des cheveux crépus sont maintenues par la kératine (voir p. 22). Plus notre structure de protéine capillaire est respectée, plus les boucles seront bien définies et plus les cheveux seront élastiques, résistants et malléables. Le cheveu crépu est donc fortement affaibli lorsque les liaisons de kératine sont rompues avec des procédés comme le défrisage ou la coloration.

LES PARTICULARITÉS LIÉES AUX MANIPULATIONS EXCESSIVES

Les cheveux crépus requièrent une attention particulière, ce qui implique de leur donner du temps. Seulement, on n'a pas toujours le temps de s'occuper de ses cheveux. Pour dormir plus longtemps le matin, on privilégie les coiffures à la va-vite. On prend un élastique, et hop on attache tout ça. On les démêle vite fait, voire pas du tout. On use et abuse du gel, de la vaseline et autres graisses pour plaquer les cheveux au risque de les « étouffer ». Ce type de produit crée une sorte de barrière imperméable qui prive les cheveux de toute source d'eau extérieure et qui empêche le sébum de s'accrocher au cheveu. Ce dernier devient alors aussi sec que de la paille.
Prendre son temps pour démêler ses cheveux est important. Cela évite de tirer sur le peigne comme une forcenée, d'emporter au passage une touffe de cheveux monumentale, et de réduire ainsi ses chances d'avoir des cheveux plus longs.

Il est également nécessaire de ne pas abuser de coiffures impliquant de fortes tractions sur les cheveux (tissage, extensions, rajouts trop serrés…). Sous la pression, ils se casseront, surtout s'ils sont déjà abîmés.

Evitez aussi les brossages compulsifs pour faire disparaître les frisottis rebelles. Les cuticules risquent de se fissurer, voire même de disparaître. L'utilisation chronique d'outils chauffants comme le sèche-cheveu dégrade également les cuticules.

De plus, les manipulations chimiques trop fréquentes, du type défrisage, wave, permanente et coloration (voir p. 118), traumatisent nos cheveux en déstructurant les chaînes de kératines. Ces pratiques rendent nos belles boucles encore plus vulnérables.

En somme, ces manipulations excessives, très courantes chez les femmes aux cheveux crépus, agressent les écailles de la tige. Une fois les cuticules abîmées, les cheveux ont du mal à retenir l'eau. Ils se dessèchent.

LES PARTICULARITÉS LIÉES AU MODE DE VIE

Le cheveu crépu n'est pas au mieux de sa forme dans les pays occidentaux, et c'est particulièrement vrai dans les grandes villes. La pollution vient se fixer sur les cheveux en troublant leur hydratation interne. L'air froid, notamment en hiver, induit un resserrement des pores du cuir chevelu. Le sébum a donc du mal à sortir, le cheveu est alors prompt à devenir sec.

Le stress, la cigarette et une alimentation déséquilibrée impliquent que notre corps, et notamment nos cheveux, ne reçoivent pas les nutriments nécessaires à leur bon fonctionnement. Le cycle de croissance capillaire peut alors s'en trouver perturbé. Les conséquences sont bien connues : des cheveux secs et ternes, des chutes ou alopécies, des cheveux poreux.

LES PARTICULARITÉS LIÉES AUX PRODUITS UTILISÉS

Pourquoi en Occident, nous retrouvons-nous avec un cuir chevelu sec, des cheveux cassés, ternes ou encore des mycoses et alopécies ? Parce que nous utilisons des produits qui ne sont pas adaptés à nos cheveux ! En effet, les produits que nous trouvons en commerce sont, pour la plupart, faits pour les cheveux de type caucasien. Ils sont élaborés par des laboratoires tenus majoritairement par des Caucasiens qui ne connaissent pas les particularités du cheveu crépu.

En effet, les cheveux des Caucasiens ont tendance à devenir gras lorsqu'ils ne sont pas entretenus. Or, concernant les cheveux des Afro-Caribéens, c'est le contraire. En l'absence de soin ils ont tendance à se dessécher.

Les produits occidentaux conventionnels sont donc formulés initialement pour assécher les cheveux. L'exemple des shampoings est révélateur : les industriels les formulent avec des tensioactifs particulièrement détergents (voir p. 82). Cela est peut-être efficace pour un Caucasien mais pas pour un

Afro-Caribéen. L'utilisation de tels produits assèche encore davantage nos cheveux.

Les produits conventionnels étiquetés « ethniques » ne sont, en général, que des produits pour Caucasiens auxquels ont été rajoutés des huiles chimiques qui ne correspondent pas aux besoins métaboliques de nos cheveux, comme les huiles de silicone et l'huile de paraffine (voir p. 87 et 88). Si nous utilisions des produits adaptés, sans détergents et réellement hydratants, nous aurions sûrement des cheveux plus sains, moins secs, se rapprochant davantage de leur bel état normal.

L'ensemble des éléments cités dans ce chapitre explique le pourquoi de la sécheresse des cheveux crépus. En outre, il est nécessaire de prendre soin de ses cheveux de deux manières : en protégeant notre cuir chevelu pour favoriser la pousse, mais aussi en préservant nos longueurs avec les bons produits pour limiter la casse. Ce dernier point est habituellement négligé, bien souvent par manque de connaissances. La poursuite de ces deux objectifs sera le pilier de l'entretien du cheveu crépu.

2. REMÈDE NUMÉRO 1 : HYDRATER SES CHEVEUX !

Nous avons identifié plus haut la sécheresse capillaire comme la cause principale de la casse des cheveux crépus. Cette casse explique elle-même notre manque de longueur « légendaire », mais non irréversible.

Cela paraît maintenant évident : pour remédier à cette sécheresse et donc faire pousser nos cheveux, il faut constamment hydrater notre précieuse chevelure.

D'abord, il faut apprendre à reconnaître lorsque nos cheveux sont en manque d'hydratation ; il faut ensuite savoir quels sont les produits réellement hydratants.

QUATRE SYMPTÔMES DU MANQUE D'HYDRATATION

1. Vos cheveux sont rêches et rugueux.
2. Ils sont secs comme de la paille.
3. Ils s'emmêlent vite.
4. Ils ne sont pas élastiques et se cassent, sans s'étirer, lorsque vous tirez dessus.

→ Ils se cassent comme un bâton sec. Ils manquent de souplesse.

LES CAUSES DU MANQUE D'HYDRATATION

Vous n'aidez pas vos cheveux à retenir leur hydratation

Après un shampoing ou même après un rinçage à l'eau, il faut hydrater vos cheveux en mettant de l'après-shampoing, en faisant des masques et en appliquant une crème hydratante tous les jours. Les corps gras contenus dans ces produits vont permettre à vos cheveux de retenir l'eau qu'ils contiennent naturellement.

Mais attention : on ne s'hydrate pas avec n'importe quoi ! Les ingrédients principaux d'un vrai produit hydratant sont l'eau et les corps gras. **La formulation du produit idéal devra donc être la plus proche possible du film hydrolipidique des cheveux.**

Qu'est-ce que ce film hydrolipidique ?

Ce film est fabriqué naturellement par l'organisme pour lubrifier et protéger les cheveux. Il s'agit d'un mélange d'eau (*hydro*) et de lipides (*lipos*). Il est constitué de sébum (gras) et de sueur (eau acide). Cette substance que vous produisez vous-même est **le meilleur cosmétique qui existe !** Par conséquent, si la composition de votre produit capillaire ne fait pas apparaître de l'eau et des corps gras en haut de sa liste d'ingrédients, c'est qu'il ne sera pas capable d'hydrater vos cheveux correctement.

Attention aux vaselines, gels, cires et graisses à base de pétrole ou de silicone (voir p. 87). Ces produits font bien partie de la catégorie des lipides mais ils peuvent « étouffer » vos cheveux en les privant de l'eau dont ils ont tant besoin.

De plus, puisqu'ils ne contiennent pas de nutriments, leurs propriétés sont éloignées du film hydrolipidique capillaire. Ce sont des corps gras de mauvaise qualité pour la santé de nos cheveux.

Prenons l'exemple d'une plante qui se déshydrate et s'assèche. On ne la recouvrerait pas d'un sac en plastique, ce qui serait l'équivalent des produits à base de pétrole pour nos cheveux, mais on l'arroserait avec de l'eau. L'eau est un constituant essentiel du cheveu. Avez-vous remarqué comment nos cheveux sont beaux, avec des boucles bien définies, lorsque nous sommes dans un climat tropical ? C'est parce que l'air y est chaud et moite, favorisant ainsi l'absorption de l'humidité par nos cheveux. Ceux-ci ont désespérément besoin de cette humidité pour garder leur élasticité et leur résistance.

Si l'eau est indispensable, elle peut également rendre le cheveu crépu encore plus sec en affinant la couche hydrolipidique. Car l'eau, à elle seule, ne suffit pas. Hydrater vos cheveux avec des substances graisseuses comme les crèmes et les masques hydratants est aussi indispensable. Elles vont vous permettre de garder l'eau plus longtemps. (Voir la liste des produits hydratants recommandés p. 102 et 104). Ces produits devraient, d'ailleurs, être qualifiés non pas d'hydratants mais plus justement d'anti-déshydratants. Retenez donc qu'il faut bien à la fois de l'eau (hydratation) et des ingrédients gras comparables aux lipides capillaires pour retenir cette eau (anti-déshydratation).

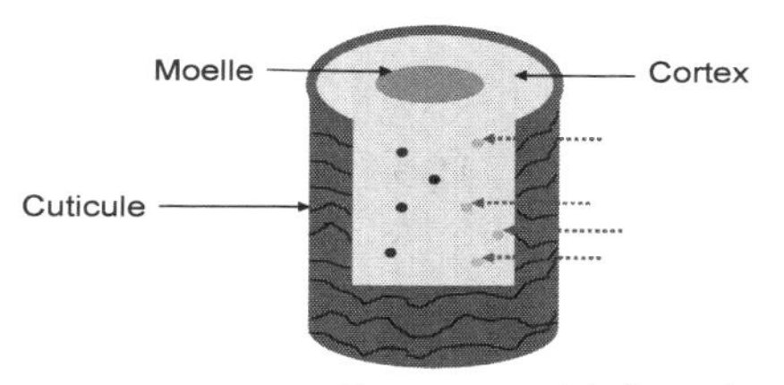

(1) L'eau extérieure pénètre dans le cortex quand le cheveu est mouillé ou au contact de l'humidité

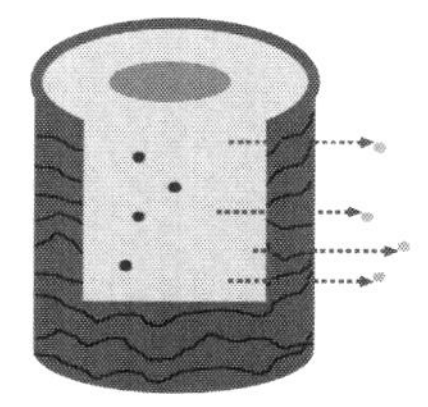

(2) Quand le cheveu sèche, l'eau s'évapore

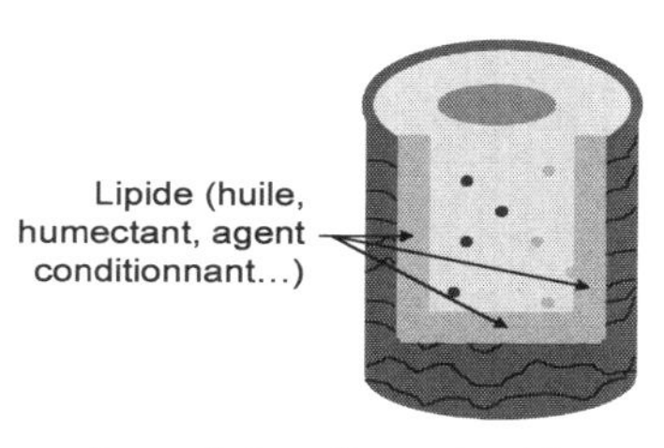

(3) Le moyen d'empêcher l'eau de s'évaporer est d'appliquer des substances grasses sur les cuticules

Vous ne vous lavez pas les cheveux assez souvent

Une autre cause du manque d'hydratation est l'accumulation d'impuretés. La saleté qui s'accumule sur vos cuticules et sur votre cuir chevelu a le même effet que le sac en plastique sur la plante en manque d'eau. **Les impuretés empêchent l'hydratation de pénétrer.** Les produits hydratants vont rester en surface jusqu'à former une « prison imperméable ». De plus, le dépôt laissé sur le cuir chevelu par les impuretés empêche le cheveu de sortir correctement : il est alors fragilisé dès sa naissance.

Dans les grandes villes occidentales, avec la pollution, les transports en commun et la transpiration, je déconseille fortement de laver ses cheveux moins d'une fois par semaine (voir p. 73).

Vous utilisez des shampoings trop détergents

Les shampoings classiques sont généralement à base de « sulfates ». (Exemples : Sodium Lauryl Sulfate ▪ Sodium Laureth Sulfate ▪ Ammonium Lauryl Sulfate ▪ Ammonium Laureth Sulfate ▪ Ammonium Lauryl Ether Sulfate).

Ces tensioactifs, bien qu'efficaces pour enlever la saleté, sont excessivement irritants pour nos têtes crépues. Ils assèchent trop nos cheveux. En effet, ce sont ces mêmes ingrédients que l'on retrouve dans les liquides vaisselles. Puisque nous avons rarement la tête aussi grasse qu'une poêle à frire, leur utilisation n'est pas indispensable.

Vous faites trop de lissages (chimiques ou thermiques)

En ce qui concerne les lissages thermiques (avec un sèche-cheveux, un fer à lisser, un fer à boucler…), dès 50 °C, le cheveu commence à subir une perte d'eau. Or, pour faire un lissage thermique on dépasse en général les 100 °C. À cette température, le cheveu ne peut que se déshydrater !

Vous ne buvez pas assez d'eau

C'est tout simple. Votre système biologique est fait de manière à ce que vos organes vitaux reçoivent de l'eau en premier. Les cheveux, qui ne sont pas vitaux, recevront de l'eau seulement s'il en reste après que l'organisme ait puisé ce dont il a besoin pour survivre.
La part la plus importante de l'eau qui hydrate nos cheveux vient de l'eau que nous buvons, de ce que nous mangeons et de l'oxygène que nous respirons, et non de l'eau appliquée extérieurement sur la fibre capillaire (voir p. 126).

Pour des cheveux biens hydratés, il faut donc ingérer de l'eau pour l'accumuler dans ses cheveux. Il faut ensuite appliquer des produits capillaires ayant une affinité avec le film hydrolipidique pour conserver cette hydratation.

3. REMÈDE NUMÉRO 2 : RENFORCER VOS CHEVEUX AVEC DES PROTÉINES

Les protéines sont tout aussi importantes que l'eau. Nos cheveux ne sont rien d'autre que de la protéine en filament.

La kératine, la protéine fabriquée par les racines, constitue 90 % de nos cheveux.

Nous développerons dans ce chapitre comment reconnaître lorsque nos cheveux manquent de protéine, l'essence même de nos cheveux.

QUATRE SYMPTÔMES DU MANQUE DE PROTÉINES

1. Vos cheveux sont mous, sans vitalité.
2. Ils sont poisseux, comme gorgés de gras.
3. Ils sont peu résistants.
4. Ils s'étirent avant de se briser.

→ Ils se cassent comme de la guimauve. Ils ont besoin d'être renforcés.

LES CAUSES DU MANQUE DE PROTÉINES

Vous faites trop de lissages (chimiques ou thermiques) ou de colorations permanentes

Nous avons constaté plus haut (p. 57) que les lissages thermiques engendraient une perte d'eau. Cependant, si la température monte à plus de 155 °C ce type de lissage engendre aussi une perte de protéines. À cette température les chaînes de kératines commencent à se casser, ce qui rend les cheveux plus fragiles et moins élastiques. Ils sont déformés et ne reviennent jamais tout à fait à leur état d'origine, même lorsque le lissage thermique ne fait plus effet (voir p. 116).
Il faut aussi savoir que dès 215-233 °C, température qui est par exemple utilisée pour le lissage brésilien, **la kératine se met à « fondre »**. C'est ce qui se passe lorsque vos cheveux sentent le brûlé.

En ce qui concerne les lissages chimiques, comme le défrisage, la destruction de protéines est permanente (voir p. 118). Elle provient d'une déformation des liaisons disulfures. **Les cheveux voient alors leur structure protéinique définitivement affaiblie,** la situation ne s'améliorera qu'à leur remplacement par de nouveaux cheveux.
Enfin, il est bon de savoir que les lissages chimiques et les colorations permanentes affectent le pH des cheveux au point d'abîmer les cuticules.

Vous vous exposez trop au soleil

De la même façon que les lissages thermiques détruisent la protéine capillaire, la chaleur intensive du soleil peut également provoquer une déstructuration des chaînes de kératine.

Vous ne mangez pas assez de protéines

Et oui ! Encore une fois c'est aussi simple que cela (retrouvez les aliments contenant des protéines p. 127).
Cependant, la cause principale d'une destruction de protéines est la manipulation chimique (défrisage, coloration, etc.).

La minute observation : favoriser l'hydratation

Un manque de protéines est souvent plus facile à combler qu'un manque d'hydratation.
Les cheveux qui manquent le plus de protéines sont chimiquement modifiés. Dans ce cas, un soin protéiné fort ou moyen est nécessaire une fois toutes les 6 semaines environ (voir p. 75). Si vos cheveux sont naturels, il est peu probable que vous manquiez de protéines. Donc concentrez-vous plutôt sur l'hydratation.
À la différence du manque de protéines qui est souvent ponctuels et qui s'arrête lorsque l'on met fin aux manipulations excessives, le manque d'hydratation est un mal récurrent dont souffrent la plupart des cheveux crépus évoluant en Occident.

4. REMÈDE NUMÉRO 3 : L'ÉQUILIBRE HYDRATATION / PROTÉINES

Il est également important de comprendre que les cheveux ont besoin à la fois d'eau et de protéines, de façon équilibrée. Une trop grande utilisation de protéines et vous risquez de manquer d'hydratation. À l'inverse une trop grande hydratation de vos cheveux et vous risquez de manquer de protéines.

En d'autres termes, si vous dépassez vos besoins en protéines vos cheveux auront les mêmes symptômes que s'ils étaient en manque d'hydratation. Si vous dépassez vos besoins en hydratation, vos cheveux auront les mêmes symptômes que s'ils étaient en manque de protéines.

Par conséquent, il faut constamment évaluer si vos cheveux sont en manque d'hydratation ou de protéines en fonction des symptômes cités plus haut.

De plus, l'équilibre hydratation/protéines n'est pas une opposition mais une synergie. Des cheveux qui sont correctement équilibrés en protéines absorberont plus efficacement l'hydratation.

Vous trouverez à la page 64 **un test** *qui vous aidera à identifier ce dont vos cheveux manquent.*

Vos cheveux se cassent pour deux raisons : soit à cause d'un manque de protéine, soit à cause d'un manque d'hydratation.
Il est crucial pour votre pousse capillaire d'identifier quelle est la source de votre casse. Sans cela, vous risquez d'aggraver la situation.
Tout est une question d'équilibre. Si vous apportez un trop-plein d'hydratation à des cheveux qui manquent de protéines, vos cheveux se casseront encore plus, et vice versa.

TEST : Pourquoi vos cheveux se cassent-ils ?

Les cheveux crépus se cassent pour 2 raisons principales :
- Le manque de protéines
- Le manque d'hydratation.

Ce test vous aidera à faire le diagnostic.
Choisissez une seule réponse par question.
Notez vos réponses pour chaque question puis reportez-vous à la page 66 pour calculer votre score.

1. Au toucher, mes cheveux sont :

1. Durs comme de la paille, secs, rugueux et emmêlés.
2. Peu résistants, poisseux et mous.
3. Forts, doux et brillants à la fois.

2. Quand je tire une poignée de cheveux, et que je la relâche ensuite :

1. Les cheveux s'étirent beaucoup, avant de se casser.
2. Les cheveux s'étirent normalement, avant de revenir à leur position initiale.
3. Les cheveux s'étirent un tout petit peu, avant de se casser.

3. Lorsque j'utilise le sèche-cheveux ou un autre outil chauffant :

1. Je n'utilise jamais d'outils chauffants.
2. Je l'utilise sur cheveux secs, sans hydratant protecteur.
3. Je l'utilise à très haute température (>155 °C).

4. Lorsque j'utilise un produit chimique (défrisant, colorant...) :

1. J'attends au moins 8 semaines pour appliquer le produit à nouveau.
2. Je ne fais pas de soins profonds avant et/ou après l'application du produit chimique.
3. Je laisse le produit plus longtemps que la notice l'indique.
4. Je n'utilise pas ce genre de produits sur mes cheveux.

5. Sur mes cheveux :

1. Je n'utilise pas de crème hydratante tous les jours.
2. Je n'utilise pas de masque ou de conditionneur après mon shampoing.
3. J'utilise de la vaseline, du gel ou du spray fixant jusqu'à ce que mon cuir chevelu me gratte, ou jusqu'à formation d'un film de crasse sur ma tête.
4. Je fais en sorte de toujours hydrater mes cheveux tous les jours, et après le shampoing.

6. L'eau et mes cheveux :

1. J'évite de trop mouiller mes cheveux.
2. Quand je me lave les cheveux, je fais bien mousser le produit. Je me lave les cheveux jusqu'à ce qu'ils soient bien propres.
3. Je laisse mes cheveux sécher à l'air libre, sans les coiffer.
4. Je mouille mes cheveux tous les jours pour me coiffer.

Calculez votre score :

Question	Réponse	Score
Question 1	Réponse 1	A
	Réponse 2	B
	Réponse 3	3C
Question 2	Réponse 1	2B
	Réponse 2	C
	Réponse 3	2A
Question 3	Réponse 1	C
	Réponse 2	B + 2A
	Réponse 3	2B
Question 4	Réponse 1	A + B
	Réponse 2	2A + B
	Réponse 3	A + 2B
	Réponse 4	2C
Question 5	Réponse 1	A
	Réponse 2	A
	Réponse 3	A
	Réponse 4	C
Question 6	Réponse 1	C
	Réponse 2	A + B
	Réponse 3	A
	Réponse 4	2A + B

VOTRE DIAGNOSTIC

Vous obtenez une majorité de A :
Vous manquez d'hydratation.

Vos cheveux sont tellement durs qu'ils se cassent comme des bâtons secs.

Solutions :

1. Hydratez vos cheveux TOUS LES JOURS avec une crème hydratante contenant de l'eau. Utilisez, après chaque shampoing, un masque ou un après-shampoing hydratant. Cela aidera vos cheveux à garder l'eau qu'ils contiennent, afin qu'elle s'évapore moins dans l'air.
2. Espacez, voire évitez, les manipulations chimiques (défrisage, coloration...) et les utilisations d'outils chauffants (fer à lisser, sèche-cheveux...). Ces manipulations privent nos cheveux de leurs lipides naturels (sébum) et les rendent ainsi secs.
3. Évitez les vaselines, graisses minérales, gels et spray fixant à base d'alcool. Ses produits forment un film imperméable sur le cheveu, l'empêchant d'absorber l'eau dans l'environnement pour pallier au manque d'eau du corps.
4. Réduisez votre utilisation de produits capillaires à base de protéines.

Pensez à refaire le test si l'état de vos cheveux change.

Vous obtenez une majorité de B :
Vous manquez de protéines.

Vos cheveux sont tellement mous qu'ils se déchirent comme du chewing-gum.

Solutions :

1. La protéine de vos cheveux, la kératine, a été détruite. Vos cheveux manquent de résistance. Un soin protéiné, effectué une fois tous les 6 mois après le shampoing sur cheveux naturels, ou toutes les 6 semaines sur cheveux défrisés, renforcera votre chevelure.
2. Réduisez un peu votre utilisation de produits capillaires hydratants (après-shampoing, crème hydratante à utilisation quotidienne...).
3. Pour ne pas détruire encore plus votre kératine : espacez, voire évitez, les manipulations chimiques (défrisage, coloration...) et les utilisations d'outils chauffants (fer à lisser, sèche-cheveux...). Évitez aussi les expositions trop longues au soleil.

Pensez à refaire le test si l'état de vos cheveux change.

Vous obtenez une majorité de C :
Vous avez un parfait équilibre hydratation/ protéines.

Continuez à prendre soin de vos cheveux comme vous le faites. Vos cheveux sont résistants tout en gardant une bonne élasticité.
Ils sont naturellement brillants.

Faites bien attention à ne pas trop les manipuler (brosse, peigne, défrisage, sèche-cheveux, coloration, etc.), ils pourraient s'affaiblir et perdre leur beauté actuelle.

Pensez à refaire le test si l'état de vos cheveux se dégrade.

3

L'entretien au quotidien des cheveux crépus

Maintenant que nous savons pourquoi nos cheveux se cassent et ne poussent pas, étudions comment nous pouvons retourner la situation et avoir une chevelure de rêve.

Une des questions que l'on me pose souvent est **« quel produit dois-je utiliser ? ».** Il n'est pas facile de répondre à cette question, car chaque tête est différente et réagit aux produits différemment.

Il faut que chacune se responsabilise et apprenne à connaître ses propres cheveux. Pour cela, vous pouvez vous appuyez sur les principes capillaires élémentaires avancés dans cet ouvrage. De plus, dans cette section, vous seront donnés des détails sur les produits et les ingrédients. Ces informations vous serviront de guide pour prendre les bonnes décisions.

1. ÉTABLIR UNE ROUTINE CAPILLAIRE PERSONNALISÉE

C'est à vous d'établir ce qu'on appelle « la routine capillaire » (RC) adaptée à vos cheveux. Elle consiste en une succession de gestes de soins, associée à une combinaison de produits que vous utilisez de façon régulière. Elle constitue **votre planning de soin.**

Trouver les produits adaptés à ses cheveux

Pour les débutantes, ce chapitre présente une **RC de base. Vous devez la personnaliser par la suite, après avoir fait plus ample connaissance avec vos cheveux**.

LE SHAMPOING

L'objectif du lavage pour les cheveux crépus est d'enlever toutes les impuretés et l'accumulation de produits, tout en laissant les cheveux hydratés.

En effet, le film hydrolipidique (voir p. 53) constitue une sorte de vernis imperméable qui nous protège des agents pathogènes comme les microbes et les bactéries. Il est donc important de préserver ce film protecteur, pendant le shampoing, en utilisant une méthode douce.

Garder un minimum d'hydratation sans avoir les cheveux décapés, mais en ayant tout de même les cheveux propres, peut s'obtenir de différentes façons :

- En utilisant des shampoings doux « sans sulfates ».
- En utilisant des shampoings conditionnants.
- En se lavant les cheveux suivant la méthode de Lorraine Massey du *no-poo* (« sans shampoing » en anglais), c'est-à-dire uniquement avec un après-shampoing.
- En faisant un bain d'huile ou un masque avant et/ou après un shampoing classique.

Fréquence recommandée : au moins une fois par semaine.

Cependant, si vous êtes une grande consommatrice de produits (gels, vaseline, silicone…), ou si vos cheveux sont souvent sales (transpiration, sport…), il convient de nettoyer vos cheveux en profondeur **une fois par mois avec un shampoing clarifiant** (voir p. 100) pour les débarrasser de

tous les résidus et accumulations de produits. Cela évitera une obstruction du cuir chevelu et un « étouffement » de la fibre capillaire.
Retrouvez une liste de shampoings adaptés p. 100 et 101.

La minute observation : le *no-poo*

La méthode du *no-poo* ne convient pas à tout le monde. Il faut vraiment avoir une faible consommation de produits hydratants pour que cette méthode marche, or les cheveux crépus ont besoin de beaucoup d'apports en hydratation.
Ainsi, au bout de quelques mois de *no-poo,* les produits peuvent former une couche que l'après-shampoing seul ne peut pas nettoyer. Il en résulte des cheveux « étouffés » qui manquent d'hydratation, et un cuir chevelu propice aux champignons.

LE CONDITIONNEUR HYDRATANT
Son objectif est d'atténuer l'effet asséchant du shampoing.
Ils laissent les cheveux hydratés après le rinçage pour pouvoir les démêler sans trop de casse.
Un conditionneur agit surtout en surface de la fibre capillaire, donc nul besoin de le laisser longtemps sur la tête. Il laisse un film sur les cheveux (parfois même après le rinçage), ce qui rend les cheveux doux et brillants. Il assouplit la fibre capillaire et discipline les cuticules, ce qui rend les cheveux plus faciles à coiffer. Il scelle l'hydratation apportée par l'eau.

C'est donc un allié indispensable pour combattre les cheveux secs.

Fréquence recommandée : après chaque shampoing et avant le démêlage.
Retrouvez une liste de conditionneurs hydratants adaptés p. 102.

LE CONDITIONNEUR PROTÉINÉ

Son objectif est de renforcer la fibre capillaire en corrigeant un manque de protéines. Il comble aussi temporairement les défauts des cuticules endommagées, notamment sur les cheveux chimiquement modifiés.

Les conditionneurs protéinés à dosage léger contiennent souvent de grosses molécules qui ne pénètrent pas la fibre capillaire. Ils restent donc en surface et agissent en moyenne une semaine. La plupart des conditionneurs bon marché sont de ce type.
Les conditionneurs protéinés à dosage fort contiennent une plus grosse concentration de protéines, et de plus petites molécules. Ils prodiguent réellement un soin dit « protéiné », car ils peuvent pénétrer dans la fibre capillaire et réparer plus en profondeur.

Fréquence recommandée : toutes les 6 semaines environ avec un conditionneur à dosage fort sur cheveux chimiquement modifiés.
Tous les 6 mois, voire jamais, sur cheveux naturels.
Retrouvez une liste de conditionneurs protéinés adaptés p. 103.

LE MASQUE (OU SOIN PROFOND) HYDRATANT

Il est destiné à rester posé sur la tête plus de 15 minutes après le shampoing, sous une charlotte ou un casque chauffant. Il peut également être appliqué avant le shampoing en *pre-poo* (en préparation du shampoing).
Les effets sont les mêmes que les effets des conditionneurs hydratants, mais prolongés et amplifiés du fait du temps de pose et de la chaleur. Un soin profond peut également se faire avec des huiles ou beurres végétaux préalablement chauffés, on parle alors de bain d'huile.

Fréquence recommandée : une fois par semaine si vos cheveux sont endommagés ou si vous venez tout juste de décider de prendre soin de vos cheveux crépus, surtout si vous avez noté un manque d'hydratation.
Si vos cheveux sont en bonne santé ou très courts, vous pouvez le faire **une fois par mois, voire pas du tout.**
Retrouvez une liste de masques adaptés p. 102.

LE *MOISTURIZER*

On définira, dans cet ouvrage, le *moisturizer* comme une crème hydratante constituée principalement d'eau et de substances humectantes, et qui a pour objectif de garder les cheveux hydratés en permanence.

Fréquence recommandée : tous les jours, matin et soir si nécessaire.
Retrouvez une liste de moisturizers adaptés p. 104.

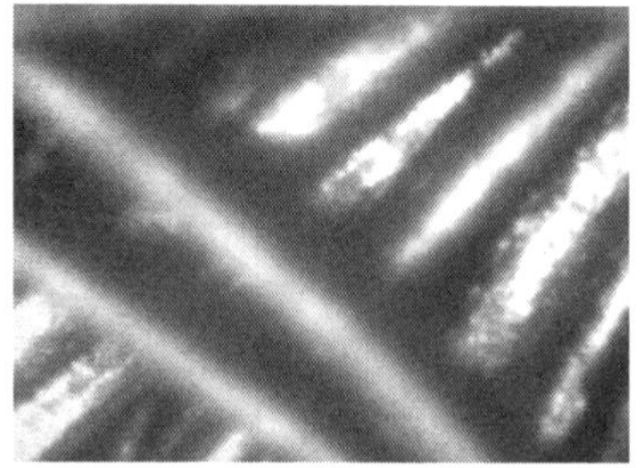

Mes cheveux enduits de *moisturizer* au microscope
Les cheveux sont protégés par un film lubrifiant qui les rend brillants

UN PRODUIT SCELLANT

Il s'agit généralement d'une huile ou d'un beurre végétal (olive, coco, ricin, jojoba, karité, cacao…). Son rôle est de retenir l'hydratation du *moisturizer* pour qu'elle s'évapore moins vite. On l'applique plutôt sur les pointes, car ces dernières bénéficient le moins de l'hydratation naturelle du complexe hydrolipidique.

Fréquence recommandée : tous les jours, après l'application du *moisturizer*.

UN MINIMUM DE MANIPULATION

Vos cheveux se portent très bien lorsque vous leur fichez la paix ! Essayez de les toucher, de les démêler, de les coiffer le moins possible. Cela doit aussi faire partie de votre RC. Privilégiez les coiffures qui peuvent se garder plusieurs jours sans trop emmêler vos cheveux (nattes, tresses, vanilles, etc.), sans négliger la synergie hydratation/protéines apportée par une utilisation appropriée des shampoings, condionneurs et *moisturizers*.

À éviter :

- **Les peignages et brossages à tout-va**, surtout quand les cheveux ne sont pas hydratés. Vous risqueriez ainsi de perdre un part importante de vos cheveux (la grosse touffe dans le lavabo ou sur le peigne, vous connaissez, n'est-ce pas ?). Je rappelle qu'on démêle ses cheveux avec le conditionneur hydratant, pas avec le shampoing ! Vous avez vu votre copine caucasienne se démêler les cheveux toutes les heures avec sa brosse portative et vous vous êtes dit que vous devriez faire la même chose ? Surtout pas ! On ne démêle pas ses cheveux crépus matin et soir, mais seulement quand c'est nécessaire, avec délicatesse et en évitant d'arracher tous les nœuds qu'on rencontre. Un démêlage avec un peigne à grosses dents ou avec les doigts, c'est bien suffisant !

- **Serrer trop fort** ses nattes, tresses, vanilles, tissage, rajouts, etc. Vous risqueriez de devenir dégarnies (pour ne pas dire chauves) près des tempes, ou bien de fragiliser votre cuir chevelu. Quand c'est trop serré, gare à la casse quand vous défaites votre coiffure !

- **Laver ses cheveux comme un gros paquet de linge sale**, façon « machine à laver ». Il est important de ne pas inciter nos cheveux crépus à s'emmêler entre eux, surtout lorsqu'ils sont mouillés. L'eau rend nos cheveux moins glissants et donc plus cassants. Je vous conseille donc de laver vos cheveux dans le sens où ils poussent et d'éviter la fameuse grosse boule sur le sommet du crâne. L'idéal est de séparer vos cheveux en sections (4, par exemple) et de les laver section par section en passant votre main du haut vers le bas comme si vous les lissiez. Ne les frottez pas. Les tensioactifs du shampoing n'ont pas besoin d'aide supplémentaire, ils enlèvent très bien la saleté tout seul. Nul besoin de s'acharner en pétrissant ses cheveux comme de la pâte à pain. De simples rotations sur le cuir chevelu avec les mains, suivi de plusieurs passages sur les longueurs, suffisent. Évidemment cela mousse moins, mais cela lave mieux !

LE MASSAGE DU CUIR CHEVELU

Afin de favoriser la circulation sanguine et l'irrigation du cuir chevelu, rien de tel qu'un bon massage. Celui-ci va permettre de stimuler la pousse des cheveux. C'est aussi un bon moyen de décompresser.

Comment s'y prendre ?

1. Asseyez-vous sur une chaise, la tête légèrement inclinée vers le bas. Posez vos coudes sur une table ou un bureau, pour avoir plus de force dans les doigts.
2. Placez le bout de vos doigts sur votre nuque et exercez une pression en rotation sur votre cuir chevelu. Vos doigts ne doivent pas glisser mais rester figés à l'endroit où vous les avez posés. C'est votre cuir chevelu qui doit bouger.
3. Faites le même exercice en déplaçant vos doigts de la nuque vers le front.

4. Faites le même exercice en plaçant vos doigts au dessus des oreilles.
5. Faites le même exercice en déplaçant vos doigts des oreilles vers le sommet du crâne.

Fréquence recommandée : quand vous le souhaitez, pendant 2 à 3 minutes. Tous les jours si vous le pouvez. Sur cheveux mouillés ou secs. Attention, tout de même, à ne pas le faire pendant le shampoing : les tensioactifs pourraient alors pénétrer plus facilement, ce qui n'est pas souhaitable.

Vous pouvez également stimuler le flux sanguin vers les racines en vous mouillant le cuir chevelu à l'eau chaude ou en appliquant un tissu chaud sur votre tête juste avant le massage.

2. COMMENT RECONNAÎTRE LES BONS INGRÉDIENTS

La liste des ingrédients d'un produit capillaire doit figurer sur la notice ou l'emballage. On appelle cette liste la déclaration INCI (*International Nomenclature of Cosmetic Ingredients*). Cette indication est imposée par la loi dans les pays occidentaux. Les ingrédients y figurent en fonction de leur proportion dans le produit, du plus au moins important.

Cet ordre peut ne pas être respecté quand l'ingrédient est présent à moins de 1 %. À des fins commerciales, les fabricants peuvent alors très bien lister un ingrédient vendeur (huile végétale, actif, huile essentielle…), présent à seulement 0,2 %, devant un ingrédient réputé toxique présent en plus grande quantité à 0,9 %, comme le paraben par exemple.

Je ne peux que vous recommander de vous renseigner sur chaque ingrédient (surtout les 5 premiers) de la déclaration INCI de vos produits. Cette déclaration en latin et en anglais n'est certes pas très compréhensible pour le commun des mortels, mais elle s'avère très utile pour savoir réellement ce qu'un produit contient.

Cependant, vous pourrez retrouver dans ce chapitre une description non exhaustive des ingrédients les plus communs retrouvés dans les cosmétiques capillaires.

LES COMPOSANTS DU SHAMPOING

Tout shampoing est composé en majorité d'eau (environ 70 %), puis de tensioactifs (environ 20 %). Ne vous fiez donc pas aux emballages du type « à l'huile d'argan », ou encore « au beurre de karité ». Ce type d'ingrédient dans un shampoing ne dépasse pas les 5 % en général. Les substances de base sont bel et bien les tensioactifs. Ce sont eux qui nettoient nos cheveux et nous débarrassent des impuretés. Il existe cependant des degrés dans les tensioactifs :

- Les tensioactifs très irritants et malgré tout massivement utilisés, les « sulfates » : Sodium Lauryl Sulfate ▪ Sodium Laureth Sulfate ▪ Ammonium Lauryl Sulfate ▪ Ammonium Laureth Sulfate ▪ Ammonium Lauryl Ether Sulfate…
- Les tensioactifs irritants, toujours des « sulfates » : TEA Lauryl Sulfate ▪ Disodium MEA ▪ Sodium Myreth Sulfate ▪ Sodium Coceth Sulfate…
- Les tensioactifs moins irritants, utilisés aussi comme agents moussants : Cocomidopropyl Betaine ▪ Lauramide Oxide ▪ Lauramide DEA ▪ Cocamide DEA ▪ Cocamide MEA.
- Les tensioactifs doux dérivés du sucre : Coco Glycoside (ou Glucoside), Decyl Glycoside, Lauryl Glycoside, Caprylyl Glycoside, Capryl Glycoside…
- Les tensioactifs très doux, mais très chers, dérivés d'acides aminés : Sodium Cocoyl Glutamate, Disodium Cocoyl Glutamate, Sodium Lauroyl Glutamate…

Notez que seuls les tensioactifs doux n'endommagent pas le film hydrolipidique. Ils respectent l'équilibre du cuir chevelu et des longueurs tout en les nettoyant.

La minute scientifique : la mousse

Les tensioactifs doux produisent moins de mousse que les tensioactifs plus agressifs largement utilisés dans les produits capillaires conventionnels.
Néanmoins, la mousse n'est pas un indicateur de la puissance de lavage. Un produit qui mousse peu peut laver tout aussi bien qu'un produit qui mousse beaucoup.
La mousse indique seulement que vos cheveux sont propres et que votre produit ne nettoie plus rien. Si de la mousse se forme en abondance, c'est donc qu'il est temps de rincer.

LES COMPOSANTS DU CONDITIONNEUR

Le conditionneur est constitué d'agents conditionnants qui donnent brillance, éclat et souplesse aux cheveux, les rendant ainsi plus faciles à coiffer.

- Les tensioactifs cationiques qui interagissent bien avec la kératine : Quaternium ▪ PPG-9 Diethylmonium Chloride ▪ les ingrédients commençant par Lauryl, Stearyl, Stearic, Oleic, Linoleic, Cetyl, Cetearyl…
- Les polymères cationiques, agents de viscosité et antistatiques : les Polyquaterniums par exemple.
- Les silicones (voir p. 88). On les reconnaît à leur suffixes : -conol, -cone, -xane ou -xol. Les plus résistants au lavage et donc les plus salissants sont : Dimethicone ▪ Dimethiconol ▪ Simethicone ▪ Trimethicone ▪ Polydimethysiloxane…

- Les lipides, ingrédients plus nobles qui imitent le sébum : les triglycérides, la glycérine, le glycérol, les cires, les céramides, les huiles végétales (ricin, olive, jojoba, etc.)...

Les conditionneurs protéinés contiennent, en supplément des composants cités ci-dessus, des protéines. Il en existe 3 différents types :

- Les protéines à grosses molécules, trop grosses pour pénétrer la fibre capillaire. Elles agissent de façon très superficielle pendant une semaine en moyenne : collagène, œuf, soja, blé, lait, yaourt...
- Les protéines hydrolysées, de taille réduite. Elles peuvent se fixer sur les endroits endommagés et ainsi former des chaînes temporaires de kératine pendant 6 semaines en moyenne : Hydrolyzed Protein, Hydrolyzed Collagen...
- Les acides aminés, de taille trop petite pour rester fixés à la fibre capillaire : Amino Acids.

LES COMPOSANTS DU *MOISTURIZER*

Le *moisturizer* tire ses propriétés hydratantes de l'eau qui est son composant principal. Pour retenir l'eau, on y trouve souvent :

- Des émollients. Ils assouplissent et adoucissent les cheveux : les alcools gras comme le Cetearyl Alcohol, le Cetyl Alcohol, le Methyl Alcohol, le Propyl Alcohol et le Caprylyl Alcohol ▪ les huiles et beurres végétaux ▪ les huiles minérales comme la Paraffinum liquidum et le Petrolatum ▪ les acides gras comme le Oleic Acid, le Linoleic Acid, le

Palmitic Acid, et le Coconut Acid ▪ les glycérides comme le Capric Triglyceride, le Caprylic Triglyceride et les Cocoglycérides ▪ le cholestérol ▪ les dérivés de lanoline ▪ les dérivés de glycérol comme le Tricaprylin et le Tristearin.
- Des humectants. Ils retiennent l'eau : la glycérine ▪ le panthénol ▪ les PEG (voir p. 89) ▪ le propylène glycol ▪ certaines protéines hydrolysées ▪ les PCA comme le Lauryl PCA et le Sodium PCA ▪ le sorbitol…

La liste des composants pour chaque catégorie de produits étant ici non exhaustive, je vous conseille de lire les compositions des produits avant de les acheter et de regarder leur fiche d'identité sur Internet.

LES COMPOSANTS À RISQUES POTENTIELS

Issu de l'industrie chimique, le processus de fabrication de ces composants est généralement très **nocif pour l'environnement.** Ces ingrédients mettent des centaines d'années à se dégrader. On peut donc penser que s'ils pénètrent notre organisme, notre corps aura du mal à s'en débarrasser. Ce qui peut les rendre toxiques pour le corps humain.

Ces ingrédients sont souvent suspectés de causer des problèmes de santé à long terme, **allant de la simple irritation au cancer.** Pour ces raisons, ils sont souvent bannis des labels bio comme Ecocert ou Cosmebio. On les retrouve cependant souvent dans les produits conventionnels « ethniques ».

Leur utilisation n'est pas interdite car, à court terme et à faible dose, ils ne sont pas dangereux. Certains s'inquiètent néanmoins de leurs effets à long terme et de l'effet cocktail qu'ils impliquent (utilisation de faibles doses mais répétées régulièrement, et donc risque d'accumulation de hautes doses dans l'organisme).

L'intérêt de ces composants réside dans le fait qu'ils coûtent peu chers et qu'ils sont très stables. Ils rendent la préparation des produits plus simple. Ils ont aussi un fort pouvoir antimicrobien, ce qui évite la prolifération des micro-organismes lors de l'ouverture du flacon.

Chacun doit donc adapter sa propre utilisation de ces composants en fonction de ce qu'il recherche à obtenir avec ses cheveux, mais surtout en fonction des risques qu'il est prêt à prendre pour sa santé et pour l'environnement.

Les dérivés de pétrole

Difficile de s'imaginer en train de se passer du pétrole sur les cheveux, pourtant ces dérivés sont très utilisés dans l'industrie cosmétique. On les retrouve sous les appellations suivantes : Mineral Oil ▪ Paraffinum Liquidum ▪ Paraffin ▪ Petrolatum ▪ Cera Microcristallina…

Ces composants ont très mauvaise presse chez les initiées. D'ailleurs vous noterez que les nouvelles marques spécialisées (NoireÔnaturel, Les Secrets de Loly, Amenaïde…) enlèvent systématiquement ces ingrédients de leur formulation. Cela se justifie, en quelque sorte. En effet les dérivés de pétrole agissent comme un « K-way » : ils empêchent le cheveu d'absorber l'eau de l'environnement. Cependant ils empêchent aussi l'eau de s'évaporer des cheveux. Ils ne sont donc pas mauvais en soi pour les cheveux crépus car **ils retiennent bien l'hydratation**.

On peut les utiliser avec parcimonie, à condition de bien se laver les cheveux pour éviter l'accumulation de ces produits qui sont tout de même assez résistants au lavage. Il faut aussi supporter l'idée qu'on se badigeonne la fibre capillaire avec du pétrole, hautement raffiné certes, mais du pétrole quand même !

En outre, il est bon de savoir que les dérivés de pétrole utilisés en cosmétique ne contiennent **aucun élément nutritif.** Ils ne sont donc pas proches des lipides naturels produits dans les racines. Ils doivent alors être utilisés avec, ou remplacés par, des composants comme les huiles végétales (voir p. 92) qui contiennent des vitamines et des acides gras complexes dont nos cheveux peuvent bénéficier.

Les silicones

Certaines initiées les fuient complètement, et les créateurs de cosmétiques « ethniques » le savent bien. Leurs formules exclues de plus en plus cet ingrédient. En effet, outre le fait qu'elles mettent plus de 500 ans à se détériorer dans l'environnement, les silicones sont réputées **former une gaine protectrice lisse** autour du cheveu presque insoluble dans l'eau, et donc responsable de sécheresse capillaire.
Les silicones sont, certes « étouffantes », mais elles sont **efficaces lors des lissages thermiques** car elles capturent bien l'hydratation qui ne peut alors presque plus s'évaporer. Ainsi, lorsque vous passer votre fer à lisser sur vos cheveux enduis de silicone, ils chauffent beaucoup moins vite et perdent donc moins d'eau. De plus, les silicones offrent une texture qui confère douceur aux cheveux.

Il faut savoir utiliser les silicones à bon escient, connaître leurs points positifs (protecteur thermique, lissant) et leurs points négatifs (alourdissant, polluant, non nutritif).

Les composants éthoxylés ou propoxylés

Ces composants, utilisés par l'industrie cosmétique en tant qu'humectant ou émulsifiant, sont des dérivés d'un produit toxique et nocif pour l'être humain, l'oxyde d'éthylène. Ils ont

pratiquement les mêmes intérêts cosmétiques que les silicones. Cependant ils sont suspectés d'être cancérigènes et de provoquer infertilité, fausse couche et perturbation du cycle menstruel. Ils sont également allergisants et difficilement biodégradables.
On les reconnaît ainsi : PEG ou PPG suivi d'un chiffre (PEG-18, PEG-40…) ▪ suffixe -eth (Cetheth, Coceth, Laureth, Myreth…) ▪ suffixe -oxynol (Butoxynol, Octoxynol, Nonoxynol…) ▪ préfixe hydroxypropyl- (Guar Hydroxypropyltrimonium Chloride…) ▪ préfixe hydroxyethyl- (Hydroxyethylcellulose…).

Les EDTA (Éthylène-Diamino-Tetra-Acetate)

Ce sont des agents de chélation, c'est-à-dire qu'ils peuvent se combiner avec les ions métalliques accumulés à la surface des cheveux pour former un complexe chimique (un chélate) soluble dans l'eau. Les métaux, ainsi fixés, partiront donc au lavage. On retrouve les EDTA notamment dans certains shampoings formulés pour retirer les dépôts de minéraux « métalliques » comme le calcaire de l'eau ou le calcium des défrisants sans soude. Ils ont la particularité de pouvoir se fixer sur l'organisme et de ne pas se dégrader facilement. D'un point de vue toxicologique, cela n'est pas très rassurant.

Les éthanolamines

Ces substances sont potentiellement cancérigènes et absorbables par l'organisme. Elles pourraient notamment s'accumuler dans le cerveau, ce qui est assez inquiétant puisque les produits capillaires s'appliquent sur la tête. On les reconnaît à leurs sigles « MEA, DEA et TEA », abréviations pour monoéthanolamine, diéthanolamine et triéthanolamine.

Les parfums

Lorsque vous voyez « parfum » ou « fragrance » dans une liste d'ingrédient, sachez qu'il s'agit obligatoirement de parfums de synthèse. Ces parfums peuvent irriter ou causer des allergies. Les parfums naturels, eux, sont désignés par la dénomination botanique des plantes qui les composent.

Les conservateurs

Les parabens (Methylparaben ▪ Ethylparaben ▪ Propylparaben ▪ Butylparaben…) sont parmi les conservateurs les plus populaires. Ils sont néanmoins de plus en plus retirés des compositions cosmétiques, au point que la mention « sans parabens » soit presque devenue un argument marketing. Conservateurs très efficaces, les parabens sont cependant allergisants et soupçonnés de s'accumuler dans l'organisme, notamment dans les tissus mammaires, induisant potentiellement des cancers du sein. Un projet de loi les interdisant a d'ailleurs été voté en mai 2011. Cependant, les industriels ont tendance à les remplacer par des conservateurs dont le potentiel de risque est encore plus élevé. La mention « sans parabens » n'est donc pas forcément un gage de sécurité.

Les libérateurs de formaldéhydes laissent échapper des formaldéhydes (dérivés de formol), comme leur nom l'indique d'ailleurs. Le formaldéhyde est reconnu pour ses effets allergisants et cancérigènes lorsqu'il est inhalé. Il est donc de moins en moins utilisé, et lorsqu'il est utilisé dans les cosmétiques son dosage est limité à 0,2 %. Les produits pour lissage brésilien sont réputés en contenir, parfois même au-delà de la limite autorisée. L'ANSM (Agence Nationale de Sécurité du Médicament et des produits de santé) a d'ailleurs mis à disposition sur son site web une « liste noire » de ces produits. On reconnaît le formaldéhyde sous plusieurs appellations : Formalin ▪ Formicaldehyde ▪ Methylaldehyde ▪ Methylene Oxide ▪ Oxymethylene ▪ Oxomethane ▪ Methylenglycol…
Les libérateurs de formaldéhydes, eux, ne sont pas restreints par la législation. On peut en trouver dans n'importe quels cosmétiques sans même savoir combien de formaldéhyde ils contiennent. On les retrouve sous les noms suivants : Quaternium ou Polyquaternium (suivi d'un chiffre) ▪ Methylisothiazolinone ▪ Diazolidinyl Urea…

Le phénoxyethanol est un conservateur antibactérien très utilisé. On le retrouve parfois à la place des parabens dans les produits étiquetés « sans parabens ». C'est un éther de glycol, produit réputé allergisant (urticaire, eczéma) nocif (stérilité), toxique (troubles neurologiques, effet sur les fœtus) et cancérigène.

Les colorants chimiques

La coloration permanente ou d'oxydation est la plus agressive et, pourtant, la plus utilisée (80 % du marché de la coloration). Elle abîme les cheveux de la même façon qu'un défrisant. Elle peut également provoquer des allergies, voire des cancers, puisqu'elle irrite le cuir chevelu et le rend donc plus perméable aux produits toxiques contenus dans les colorations.

LES INGRÉDIENTS DE QUALITÉ

La chimie est performante pour fabriquer des cosmétiques aux vertus très ciblées (stables, antimicrobiens, peu onereux...), mais ces produits ne présentent aucun intérêt nutritif pour les cheveux et sont potentiellement dangereux à long terme. On peut donc leur préférer des produits naturels moins nocifs pour l'être humain et l'environnement (voir la liste détaillée de ces ingrédients et de leurs bienfaits p. 136 à 141).

Les huiles et beurres végétaux

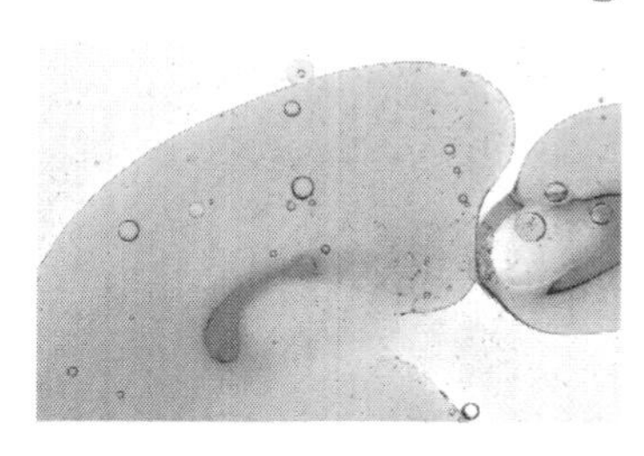

En lieu et place des produits à base d'huiles minérales et d'huiles de silicone, vous pouvez utiliser des huiles et beurres végétaux. Ils sont naturellement extraits de graines (ricin, carapate, jojoba, yangu...), de fleurs (camélia, coton,...), de fruits ou de noix (karité, avocat, coco, olive, sapote, palme, amande, mangue...).

Ils présentent l'avantage d'être moins imperméables que les huiles issues de la chimie. On peut donc les utiliser de façon quotidienne pour hydrater, protéger et sceller l'hydratation, sans risquer de trop « étouffer » ses cheveux crépus. Et surtout, **ils contiennent des acides gras et des vitamines nutritives pour les cheveux**, comme la vitamine A qui réduit la dégénérescence des cellules et la vitamine E qui est un antioxydant naturel. Ce sont des lipides de bonne qualité pour préserver le film hydrolipidique.

La minute partage : les meilleures huiles

Selon mon opinion, les huiles végétales parmi les plus efficaces pour les cheveux crépus sont :

- l'huile de coco qui, appliquée avant et/ou après un shampoing en bain d'huile par exemple, réduit le phénomène de rétrécissement (« *shrinkage* ») des cheveux crépus et réduit la perte de protéines.
- le beurre de karité, mélangé dans des crèmes ou conditionneurs hydratants, est très riche. Il a des propriétés nourrissantes et protectrices.
- l'huile de ricin et l'huile de sapote, toutes deux assez grasses, permettent de sceller l'hydratation surtout sur les pointes. Elles rendent nos cheveux plus doux et brillants.

Les huiles essentielles

Ces huiles (romarin, sauge, eucalyptus, menthe, lavande, ylang ylang…), ont des propriétés tout à fait différentes des huiles végétales. Elles ne contiennent pas de lipides. On les utilise essentiellement sur le cuir chevelu pour **stimuler la circulation sanguine, propice à la pousse**.

Il suffit de 2 ou 3 gouttes d'huile essentielle diluées dans 2 ou 3 cuillères à soupe d'huile végétale, ou bien d'1 ml ajouté à un flacon de 250 ml de shampoing. Les huiles essentielles sont très puissantes et peuvent donc être irritantes si elles ne sont pas diluées. Il est d'ailleurs conseillé aux femmes enceintes ou qui allaitent de demander l'avis d'un médecin avant de les appliquer.

On peut également utiliser des eaux florales ou des hydrolats. Ces produits sont moins concentrés et donc moins agressifs que les huiles essentielles.

La glycérine

La glycérine est un agent hydratant et lubrifiant, elle est liquide, transparente et visqueuse. C'est une alternative aux humectants chimiques pour retenir et attirer l'hydratation.

Elle a une forte capacité à absorber l'eau de l'environnement et nourrit donc davantage les cheveux en hydratation. Elle est aussi composée de molécules assez petites pour pénétrer les cheveux, contrairement aux huiles minérales ou aux silicones. En effet, elle ne dépose pas de film imperméable (ou un très fin) sur les cheveux.
La glycérine est efficace lorsqu'elle est mélangée avec de l'eau, à hauteur de 25 % de glycérine et 75 % d'eau. À ce niveau, elle laisse pourtant une sensation collante sur les doigts et les cheveux. Les produits cosmétiques l'utilisent donc souvent à hauteur de 5 %, voire moins, pour rendre la fibre capillaire plus agréable au toucher.

La glycérine est efficace lorsqu'elle est mélangée avec de l'eau, à hauteur de 25 % de glycérine et 75 % d'eau. À ce niveau, elle laisse pourtant une sensation collante sur les doigts et les cheveux. Les industriels de la cosmétique l'utilisent donc souvent à hauteur de 5 % dans les produits, voire moins, pour rendre la fibre capillaire plus agréable au toucher.

Le gel d'Aloe vera

L'*Aloe vera* est une plante très nutritive. Elle contient près de 200 phytonutriments, près de 12 vitamines (A, B, C et E), 20 minéraux (dont le potassium, le phosphore, le calcium, le fer et le zinc) et 18 acides aminés (sur les 20 existants).

Elle a l'avantage d'assainir le cuir chevelu grâce à ses propriétés cicatrisantes, antifongiques, antibactériennes, anti-inflammatoires et antibiotiques. Elle aide à combattre les irritations et les champignons. Elle hydrate et renforce la fibre capillaire. Elle assouplit les cheveux, les rend plus faciles à démêler et aide à la régénération des cellules capillaires, grâce à sa forte concentration en acides aminés. Elle pénètre également très bien dans la fibre capillaire. L'*Aloe vera* redonne donc éclat, brillance et volume aux cheveux.

On peut l'utiliser en tant que gel pour définir ses boucles, ou bien diluée dans nos produits capillaires.

Le vinaigre de cidre ou ACV (Apple Cider Vinegar)

L'ACV, et tous les vinaigres en général, contiennent une forte concentration en acides, notamment en acide acétique. Son pH (3), plus acide que les cheveux, aide à retrouver un équilibre proche du pH de ces derniers (5). En effet, certains des produits que nous utilisons ont un pH plus élevé que celui de nos cheveux (shampoing, eau, défrisant...). L'ACV aide donc à rendre la fibre capillaire plus lisse et plus brillante. Sa forte concentration en acides lui confère des propriétés antifongiques, antibactériennes et antipelliculaires. L'acide acétique est également un agent chélateur naturel puisqu'il favorise l'élimination des dépôts de minéraux.

L'ACV calme les irritations capillaires et stimule les follicules pileux. On dit aussi qu'il peut encourager la pousse. Certaines

utilisatrices ont noté, après application de l'ACV, que leur cheveux retenaient mieux et plus longtemps l'hydratation.
On l'utilise en rinçage final, dilué dans de l'eau (ex. : 100 ml d'ACV pour un litre d'eau), après le shampoing et le conditionneur. Attention, si vous l'utilisez trop concentré il peut assécher vos cheveux.

Les colorants naturels

Il n'existe pas de coloration permanente naturelle. Les colorants naturels déposent un film sur les cheveux. Ils colorent donc temporairement ou donnent simplement des reflets à votre chevelure. La couleur s'estompera au cours du temps, avec les shampoings.

Les colorants naturels sont généralement à base de végétaux en poudre. Ils se fixent à la kératine sans troubler la fibre capillaire. Il s'agit par exemple du brou de noix en poudre (brun), la poudre de curcuma (blond), la poudre de châtaignier (châtain), la poudre de garance (rouge/ acajou), la poudre de raisin (violet, brun) le henné naturel (cuivre) et autres tanins végétaux utilisés initialement pour la teinture de textile comme la laine. Sachez que celle-ci est également constituée de kératine, comme nos cheveux !
Les colorations naturelles ont l'avantage de ne pas abîmer les cheveux, elles sont même capables de les embellir. Il est cependant nécessaire de faire un soin hydratant après

l'application de ces colorants car ils peuvent parfois être asséchants. C'est le cas notamment du henné qui agit comme un soin protéiné. Il laisse une couche protectrice sur la fibre capillaire, rendant les cheveux plus forts et plus épais.

Concernant les hennés, méfiez-vous de ceux qui vous promettent des colorations en tout genre (blond, noir, brun…). Dans la majorité des cas, ces produits ne sont pas naturels. Ils contiennent des substances chimiques (sels métalliques, PPD…) qui peuvent altérer vos boucles. Regardez bien la composition !
Sachez que le henné naturel offre une coloration cuivrée, et que le henné noir (ou indigotier) offre une coloration noire.

Il existe des marques de cosmétiques proposant des crèmes colorantes naturelles : Logona, Béliflor, Terre de Couleur, pour en citer quelques unes.

La minute observation : l'eau

Saviez-vous que l'eau ne peut pas être considérée comme bio, qu'elle n'est pas certifiable ? Prenons l'exemple des shampoings qui contiennent généralement plus de 70 % d'eau. Ces 70 % ne seront pas pris en compte dans le pourcentage d'ingrédients issus de l'agriculture biologique. L'eau est cependant comprise dans le pourcentage d'ingrédients naturels.

3. QUELS PRODUITS UTILISER ?

C'est LA question que toutes les débutantes en quête d'informations me posent. Et comme je les comprends ! Comment s'y retrouver devant cette pléthore de produits cosmétiques qu'on nous propose lorsqu'on ne sait pas ce qu'apporte chaque ingrédient ?

Pour vous aider, voici une liste non exhaustive et non sponsorisée de produits capillaires vendus dans le commerce et adaptés à nos cheveux crépus.

LES SHAMPOINGS CLARIFIANTS

Ces shampoings peuvent contenir plusieurs sulfates « irritants » ou ne contenir aucun agent conditionnant. Ils rendent les cheveux crépus secs. Ils nécessitent donc d'être suivi d'un bon soin hydratant. Il est également préférable de ne les utiliser que de temps en temps, de façon à purifier le cuir chevelu et la fibre capillaire.

Marque	Shampoing Clarifiant	Composition
Activilong	Shampoing purifiant au romarin	Anti-pelliculaire, sans parabens
Aménaïde	Gommage Bouleversant	Sans sulfates, sans silicones, sans parabens, sans pétrole
Carol's Daughter	Rosemary Mint Clarifying Shampoo	Sans sulfates, sans parabens, sans pétrole
CURLS	Pure Curls Clarifying Shampoo	Sans silicones, sans sulfates, sans parabens, sans protéines, sans glycérine
KeraCare	1st Lather Shampoo (Première mousse)	Sans sulfates, sans parabens, sans silicones
Kerastase	Bain clarifiant	Contient des sulfates et des parabens
NoireÔNaturel	Savon à cheveux - Un amour de tortilles	100 % naturel
Organic Root Stimulator	Uplifting Shampoo	Contient des sulfates

LES SHAMPOINGS HYDRATANTS SANS SULFATES

Généralement spécialisés pour les cheveux crépus et frisés, il est préférable d'utiliser régulièrement ce type de shampoings. L'offre aux Etats-Unis est grande et à des prix abordables, contrairement à l'offre en France. Les nouvelles marques américaines « ethniques » offrent systématiquement des shampoings sans sulfates davantage adaptés aux cheveux crépus.

Marque	Shampoing hydratant	Composition
Aménaïde	Shampoing Bichonnant	Sans sulfates, sans silicones, sans parabens, sans pétrole
Bee Mine	Botanical Moisturizing Shampoo	Sans sulfates, sans parabens
BodyShop	Shampoing Rainforest - Nutrition	Sans silicones, sans sulfates, sans colorants, sans parabènes
Carelle cosmetics	Crème de karité - Shampoing	Sans paraben, sans silicones et sans sulfates
Carol's Daughter	Monoï Repairing Shampoo	Sans sulfates, sans parabens, sans pétrole
Creme of Nature	Detangling Conditioning Shampoo (regular formula)	Sans sulfates, contient des parabens, des protéines,
CURLS	Curlicious Curls Cleansing Cream	Sans silicones, sans sulfates, sans parabens
KeraCare	Hydrating Detangling Shampoo	Sans sulfates, sans parabens, sans silicones
Kinky-Curly	Come Clean Moisturizing Shampoo	Sans sulfates, sans pétrole, sans alcool, sans silicones, sans cire, sans parabens
Les Secrets de Loly	Sunshine Red	Sans sulfates, sans silicones, sans parabens
Melvita	Shampoing cheveux très secs	Certifié Bio, sans sulfates
Mizani	Shampoing Curl Balance	Sans sulfates
NoireÔNaturel	Crème de shampoing	98 % naturel, 53 % bio, sans sulfates, sans parabens, sans silicones
Shea Moisture	Moisture Retention Shampoo	100 % naturel, sans silicones, sans sulfates, sans parabens

LES CONDITIONNEURS ET MASQUES HYDRATANTS

Ce sont les produits que vous utiliserez après (ou avant) votre shampoing. Surtout si celui-ci est clarifiant.

Marque	Conditionneur hydratant	Composition
Aménaïde	Après-shampooing Dorlotant	Sans sulfates, sans silicones, sans parabens, sans pétrole
Aubrey Organics	Honeysuckle Rose Moisturizing Conditioner	100 % naturel, sans parabens ni produits chimiques
Bee Mine	Bee-U-Ti-Ful Deep Conditioner	Sans silicones, sans sulfates, sans parabens, sans protéines
BodyShop	Après-shampoing Rainforest - Nutrition	Sans silicones, sans colorants, sans parabens
Creme of Nature	Nourishing Conditioner (Camomille)	Contient des silicones, des protéines, des parabens et du pétrole
Darcy's Botanical	Deep Conditioning Mask	99 % naturel, sans silicones, sans parabens
KeraCare	Humecto Conditioner Creme	Sans silicones, sans parabens
Les Secrets de Loly	Masque Crème Extranourrissant	Sans silicones, sans parabens
Les Secrets de Loly	Après-shampoing Soin Demêlant	Sans silicones, sans parabens
LUSH	Rafistoleur	
Mizani	Moisturfusion Silk Creme Conditioner	Aux céramides et protéines
NoireÔNaturel	Masque Soin Sublimateur	98 % naturel, 72 % bio, sans parabens, sans silicones
Pink	Revitalex	Contient du parabens
Shea Moisture	Restorative Conditioner	100 % naturel, sans silicones, sans sulfates, sans parabens
Shea Moisture	Deep Treatment Masque	100 % naturel, sans silicones, sans sulfates, sans parabens

LES CONDITIONNEURS ET SOINS PROTÉINÉS

Vous êtes censée utiliser ces produits moins souvent que les soins hydratants. Les soins protéinés forts peuvent agir jusqu'à 6 semaines, ils sont plutôt réservés aux cheveux chimiquement traités. Les soins protéinés légers se fixent moins bien sur la fibre capillaire, mais ils suffisent largement sur cheveux naturels.

	Marque	Conditionneur protéiné	Composition
LÉGER	Creme Of Nature	Conditioning Reconstructor	Contient des silicones et des protéines
	Motions	CPR Protein Reconstructor	Contient des silicones et des protéines hydrolysées
	Organic Root Stimulator	Replenishing Conditioner	Contient du collagène hydrolysé, des acides aminés et des silicones
MOYEN	Aphogee	2 min Reconstructor	Contient du pétrole, des protéines hydrolysées, du collagène et des silicones
	Motions	Moisture Silk Protein Conditioner	Contient des silicones et des protéines hydrolysées
	Organic Root Stimulator	Hair Mayonnaise	Contient des silicones, des sulfates, des parabens, des œufs en poudre, du collagène hydrolysé
FORT	Aphogee	2 Step Protein Treatment	Contient des protéines hydrolysées et des silicones
	Motions	CPR Treatment Conditioner	Contient du pétrole, du collagène hydrolysé, des silicones et des parabens

LES *MOISTURIZERS*

On trouve ces produits sous la forme de crème, de lotion ou de spray. Ils sont destinés à apporter une hydratation quotidienne aux cheveux. Ils sont constitués principalement d'eau et de corps gras, pour être au plus proche du film hydrolipidique.

Marque	*Moisturizer* à base d'eau	Composition
Aménaïde	Crème Virevoltante	sans sulfates, sans silicones, sans parabens, sans pétrole
Bee Mine	Deja's Hair Milk	99 % naturel, sans silicones, sans parabens
Bee Mine	Luscious Balanced Cream Moisturizer	Sans silicones, sans parabens
Carelle Cosmetics	Fondant de karité – Crème hydratante	Sans silicones, sans parabens
Carol's Daughter	Black Vanilla Moisturizing Hair Smoothie	Sans parabens, sans pétrole
Carol's Daughter	Black Vanilla Moisturizing Leave-in Conditioner	Sans parabens, sans pétrole
Darcy's Botanical	Coconut Lemongrass Transitioning Crème	90 % naturel, sans silicones, sans parabens
Kinky-Curly	Knot Today	Sans pétrole, sans alcool, sans silicones, sans cire, sans parabens
Organic Root Stimulator	Carrot Oil	Contient des silicones et du parabens, sans pétrole.
Scurl	No Drip Activator	Contient des silicones et des parabens
Shea Moisture	Yucca & Baobab Milk	100 % naturel, sans silicones, sans parabens
Shea Moisture	Hold & Shine Moisture Mist	100 % naturel, sans silicones, sans parabens

LES GELS ET PUDDINGS ADAPTÉS

On ne parle pas ici de gels ou de vaselines bourrés de pétrole et de composants alourdissants comme certaines silicones. Les gels naturels et puddings de la liste ci-dessous vont pouvoir être utilisés en lieu et place de vos vaselines et gels « mazoutés » classiques, pour plaquer vos cheveux ou définir vos boucles.

Marque	Gels et puddings	Composition
Aroma Zone	Gel d'*Aloe vera*	Certifé Bio
Bee Mine	Bee Hold Curly Butter	Sans silicones, sans parabens
Carol's Daughter	Loc Butter	Contient de la cire d'abeille, sans parabens, sans pétrole
Darcy's Botanical	Natural Coils Curling Jelly	Sans silicones, sans parabens
Ecostyler	Gel (Krystal, Super protein, Argan Oil, Olive Oil, etc.)	Sans alcool, sans silicones, sans pétrole
Kinky-Curly	Curling Custard	Sans pétrole, sans alcool, sans silicones, sans cire, sans parabens
Les secrets de Loly	Chantilly de Karité	Sans silicones, sans parabens
Shea Moisture	Curling Soufflé	100 % naturel, sans silicones, sans parabens

LES PROTECTEURS THERMIQUES

Pour celles qui ne peuvent se passer du lissage thermique, je conseille l'utilisation d'un produit protecteur pour protéger les longueurs. Ces produits vont limiter les dégâts, comme la perte d'eau et la destruction de protéines, en réduisant la vitesse de diffusion de la chaleur de l'outil chauffant vers vos cheveux. Ces derniers seront alors moins en proie à la chaleur.

Prenez garde tout de même, l'agent protecteur est souvent à base de silicone, ce qui alourdit les cheveux et les salit plus vite.

Marque	Protecteur thermique	Composition
BioSilk	Silk Therapy	Contient des silicones en top ingrédients
Carol's Daughter	Macadamia Heat Protectant Serum	Contient des silicones en top ingrédients Sans parabens, sans pétrole
CHI	Silk Infusion	Contient des silicones en top ingrédients, sans alcool
TIGI	S-Factor Flat Iron Spray	Contient des silicones

La liste des produits présentés dans ce chapitre n'est pas complètement représentative de tout ce que le marché propose. Cependant, retenez quelques noms de marques dont la cible marketing est, totalement ou partiellement, le cheveu crépu :

- En France : Activilong, Amenaïde, Carelle cosmetics (90% naturel, pour enfants), Farida B, Les Secrets de Loly (à base d'ingrédients naturels), Mizani, NoireÔnaturel (certifié bio), Rose & Nadine (100% naturel)…

- Aux Etats-Unis (produits, pour la plupart, naturels et distribués en France par Internet) : Aubrey Organics, Bee Mine, Carol's Daughter, CURLS, Creme of Nature (chimique), Darcy's Botanical, DevaCurl, Giovanni, Jane Carter Solution, Jessicurl, JBCO, Keracare, Kinky-Curly, Miss Jessie's, Mixed Chicks, Oyin, Shea Moisture, Taliah Waajid…

4

Les astuces pour combattre les agressions contre nos cheveux

On évoquera dans cette section les agressions que subissent couramment les cheveux crépus.

Il est important de réduire ce type d'agressions pour limiter la casse et favoriser la pousse de vos cheveux.

C'est en combattant ces agressions avec les astuces développées ici que vous aurez des cheveux en bonne santé.

1. AGRESSIONS PHYSIQUES

Il s'agit de toutes les manipulations excessives qui exercent une traction sur le cuir chevelu et/ou qui entraînent une pression sur la fibre capillaire.

LE DÉMÊLAGE

De par leur structure en spirale (voir p. 46), nos cheveux ont tendance à s'emmêler d'eux-mêmes. On pense donc à tort que toute chevelure crépue doit obligatoirement être démêlée constamment comme les chevelures caucasiennes. Or, des démêlages trop fréquents et trop violents affaiblissent la fibre capillaire des cheveux crépus.

Ils n'ont pas besoin d'être coiffés tous les jours, mais seulement de temps en temps pour éviter la formation de nœuds (qui pourraient provoquer la casse des cheveux). Peigner ou brosser ses cheveux crépus tous les jours est aussi dévastateur que de prendre des mèches de votre chevelure et de tirer dessus jusqu'à ce qu'elles se cassent !

Les cheveux crépus doivent aussi être démêlés sous certaines conditions : ils doivent être lubrifiés avant. Des cheveux trop secs créent en effet une résistance contre le peigne ou la brosse, et peuvent ainsi augmenter la casse.

Ce qu'il faut faire :

Préférez un peigne à grosses dents ou vos doigts. Préférez une brosse douce en soie, une brosse pour bébé par exemple. Le but est de n'abîmer ni les cuticules ni le cuir chevelu par des frottements virulents inutiles.

NATTES, TWISTS, TISSAGE, EXTENSION, RAJOUTS, ETC.
Ces coiffures protectrices n'impliquent pas forcement de dommages pour les cheveux crépus. Ce qui peut poser problème c'est :

- **De les garder trop longtemps**. Au-delà de 2 mois cela commence à faire beaucoup ! Les soins capillaires ne peuvent plus faire effet passé un certains temps, car le cuir chevelu et la fibre capillaire sont recouverts et donc moins accessibles. Vous pouvez alors vous retrouver avec des moisissures et des champignons. De plus, l'ajout de cheveux exerce une pression supplémentaire sur les racines qui risquent alors de ne pas pouvoir retenir vos cheveux. Ces derniers peuvent alors tomber.

- **Serrer trop fort ou mettre de trop grosses mèches**. Cela accentue le risque de casse, surtout près des tempes où les cheveux se cassent facilement. Évitez cela pour ne pas détruire vos racines (alopécie de traction), ce qui ralentirait considérablement la pousse.

- **Ne pas se laver les cheveux**. Il faut faire des shampoings régulièrement (une fois par semaine) pour libérer le cuir chevelu et les longueurs de toutes ces saletés retenues prisonnières dans les nattes et autres. Les impuretés produites par une forte transpiration, par la pollution ou encore par l'accumulation de produits capillaires, peuvent obstruer les racines et empêcher les cheveux de pousser.

- **Ne pas les hydrater**. Les cheveux ont TOUJOURS besoin d'hydratation. Ce type de coiffure forme une protection qui prive nos cheveux de l'hydratation extérieure. Appliquer une crème hydratante au moins une fois par jour peut s'avérer salutaire contre les pellicules et le cuir chevelu qui gratte. Aussi, si vous grattez votre cuir chevelu avec vos ongles vous pouvez provoquer des irritations qui risquent de s'infecter. Un cuir chevelu sain ne gratte pas !

- **Défaire trop violemment**. Lorsque vous défaites votre coiffure, faites-le très délicatement de façon à ne pas emmêler vos cheveux. Ne tirez pas non plus, cela les casserait.

- **Enchaîner les coiffures avec des faux cheveux**. Laissez votre tête respirer ! Vos racines ont été affaiblies par le port de cheveux supplémentaires, laissez-les reprendre des forces, surtout si votre cuir chevelu vous fait mal.

SE COUPER LES CHEVEUX

Les coiffeurs « ethniques » ont souvent la fâcheuse tendance à nous couper les cheveux trop souvent et trop courts. Pourquoi ? Je dirai parce que cela leur facilite le travail. Coiffer des cheveux courts va toujours plus vite. Mais cela nous dessert. Nous nous retrouvons souvent avec des cheveux qui raccourcissent au fil des mois et avec des pointes toujours abîmées !

En effet, il ne sert à rien de couper vos cheveux si vous n'en prenez pas réellement soin. Vous allez constamment avoir les pointes abîmées si vous ne les entretenez pas correctement. Et couper les pointes ne changera absolument rien à cela ! Appliquez d'abord votre routine capillaire régulièrement, et c'est seulement après quelques mois de soins réguliers que vous verrez si vous avez toujours les pointes fourchues. Si oui, alors un petit passage de ciseaux (en acier inoxydable et propres surtout) s'impose pour couper quelques millimètres, et pas 2-3 cm !
Lorsque c'est mal fait, cela revient à casser ses cheveux soi-même et donc à s'exposer à des problèmes récurrents de pointes fourchues. Un cheveu doit être coupé de façon nette.

Bien tailler ses cheveux nécessite de :

- **Couper sur cheveux secs**. Cela peut surprendre parce que les coiffeurs coupent souvent sur cheveux humides. Mais couper quelque chose de sec donne un résultat toujours plus net que couper quelque chose de mouillé. Prenez l'exemple d'une feuille de papier, d'un bout de bois ou d'un bout de tissu : ces matières ne sont-elles pas mieux coupées au sec ?

- **Couper après avoir lavé, conditionné et démêlé** vos cheveux. Pour ne plus avoir de résidus de pollution ou de produits dans les cheveux, mais aussi pour lisser les cuticules et donc réduire le risque d'endommagement de celles-ci.

- **Sur cheveux naturels, couper après les avoir nattés ou twistés** pour éviter que les pointes s'emmêlent pendant qu'on les coupe. Sur cheveux défrisés ou lissés, couper après le défrisage et/ou le lissage pour bien égaliser les cheveux, afin de ne pas se retrouver avec des cheveux plus longs que d'autres, lorsqu'ils seront portés raides.

2. AGRESSIONS THERMIQUES

Il s'agit des manipulations capillaires impliquant l'utilisation d'un outil chauffant (sèche-cheveux, casque chauffant, fer à lisser, fer à boucler, etc.) pour lisser et mettre en pli les cheveux. **Ces agressions modifient les liaisons hydrogènes.**

Il faut savoir que plus votre outil chauffant sera chaud, plus les dégâts sur votre chevelure seront conséquents.

Je rappelle que dès 50 °C l'eau s'évapore et vos cheveux perdent leur hydratation. Dès 155 °C les chaînes de kératines se cassent, ce qui rend les cheveux plus fragiles et moins élastiques. Ils se déforment et ne reviennent pas tout à fait à leur état d'origine. Dès 215-233 °C, la kératine « fond » et les cheveux brûlent.

Ce qu'il faut faire :

Pour réduire les effets négatifs des lissages thermiques, on peut :

- Lisser ses cheveux à la température la plus basse possible.
- Bien répartir la chaleur en éloignant l'outil chauffant des cheveux ou en utilisant un casque chauffant.
- Être très prudent si vos cheveux sont déjà fragilisés (coloration, défrisage…).
- Se lisser seulement sur cheveux propres car la saleté peut "cuire" les cheveux.
- Mettre un produit protecteur de chaleur (à base de silicones par exemple) et/ou de l'eau pour ralentir la vitesse de transfert de chaleur de l'outil vers les cheveux.

La minute observation : lissage brésilien

Le lissage brésilien peut être considéré comme une forte agression thermique. Il fait intervenir une action chimique qui ne modifie pas nécessairement la structure capillaire. Le lissage brésilien consiste à appliquer de la kératine végétale et à la fixer sur les endroits abîmés (fourches, trous…) avec du formol et des plaques chauffantes à très haute température (près de 240 °C).
Les dangers du lissage brésilien viennent donc de l'application de formol, réputé cancérigène, et de l'utilisation de chaleur à une température qui détruit la kératine.
Le lissage brésilien n'est donc pas un soin, cette allégation marketing est un leurre. Il n'est donc pas rare qu'une fois les effets du lissage estompés (soit après 4 mois environ), les cheveux soient aussi abîmés qu'avant, voire davantage.

3. AGRESSIONS CHIMIQUES

Le défrisage, le wave, le curl, l'assouplissement, le lissage japonais et la coloration permanente sont, quoi qu'en disent les étiquettes et les fabricants, tous des procédés chimiques qui affaiblissent les liaisons disulfures des cheveux de façon permanente !

Une fois ces manipulations faites, vos cheveux ne reviendront plus jamais à leur état naturel et il faudra attendre qu'ils repoussent. Si vos cheveux changent de texture quelques mois après l'application, ce n'est pas parce que votre texture naturelle est revenue, mais parce que vos cheveux se sont considérablement abîmés. Il faut savoir qu'un usage répété peut même affecter vos racines et provoquer des alopécies.

Tous ces procédés font intervenir un agent chimique au pH alcalin qui incite les fibrilles de kératine à se gonfler, ce qui exerce une pression sur les cuticules. Celles-ci se lèvent en amenuisant le film hydrolipidique de la fibre capillaire. Pour faire simple, vos cheveux perdent à la fois de l'hydratation et de la protéine.

Procédé	**Agent chimique responsable**	**Description**
Défrisage Assoupli-ssement Curl « avec soude »	Hydroxyde de sodium	Détruit 90 % des liaisons disulfures. La kératine est considérablement déstructurée puisque 90 % de la structure des cheveux a été détruite. De nouvelles liaisons de soufre beaucoup plus faibles sont reconstruites. Un long rinçage et un shampoing neutralisant sont nécessaires pour stopper la destruction des liaisons et éliminer les résidus.
Défrisage Assoupli-ssement Curl « sans soude »	Hydroxyde « métallique » (calcium, guanidine, potassium, lithium...)	
Wave Lissage japonais	Acide thioglycolique Ammoniaque	Détruit 30 % des liaisons disulfures. Le cheveu est détendu jusqu'à l'obtention de la forme souhaitée. Cette nouvelle forme est fixée par un produit oxydant. 30 % de dégradation suffisent à déstructurer la kératine.
Coloration permanente	Ammoniaque Éthanolamine	Le produit chimique ouvre les cuticules pour être absorbé. Un produit oxydant colore ensuite la mélanine. Les minuscules molécules du produit colorant pénètrent la fibre capillaire et s'accrochent les unes aux autres pour former de plus grosses molécules qui résisteront au lavage.

Remarquez que l'assouplissement, le curl et le wave, que l'on présente souvent comme des alternatives plus douces que le défrisage, suivent le même procédé de dénaturation capillaire que celui-ci.

Il est également illusoire de penser que si ces procédés chimiques sont très répandus, ils ne sont pas dangereux. Leurs effets sur la santé ne sont que trop rarement évalués, et encore plus rarement diffusés au grand public. C'est que des milliards d'euros sont en jeu ! En 2010, le marché européen des produits de beauté représentait 71,8 milliards d'euros. Si des informations sur la toxicité de ces produits étaient diffusées, l'industrie cosmétique serait fortement ébranlée !

À défaut de preuves scientifiques tangibles, il convient d'appliquer le principe de précaution. Faisons appel à notre bon sens ! Le fait que l'application de ces produits chimiques nécessite l'usage de gants de protection devrait nous alarmer. Il faudrait se protéger les mains et pas le cuir chevelu qui entoure pourtant notre cerveau ? De qui se moque-t-on ?

La vérité est qu'il est tout à fait possible que ces agents chimiques puissent traverser la barrière cutanée par le cuir chevelu, puis s'infiltrer dans les racines par le sang. Ces corps étrangers donneront ainsi l'alerte au système endocrinien, aux reins et au foie qu'il faut s'en débarrasser. Si le processus se répète régulièrement, le système immunitaire s'affaiblira donc, jusqu'au déclenchement de pathologies plus ou moins graves chez certains (maladies inflammatoires, troubles du système hormonal, cancers…).

Quelques soient les précautions que vous prenez, votre kératine, et potentiellement votre santé, seront de toute façon endommagées.

Pour ne pas amplifier les dommages, il est nécessaire de :

- **Respecter scrupuleusement les temps de pose**. En dépassant les temps d'application préconisés vous risquez de sérieux soucis (brûlures, eczémas, psoriasis, destruction des racines, alopécie…).

- **Appliquer le produit sur cheveux sains et non modifiés chimiquement**. Rien de pire que de faire une coloration sur des cheveux défrisés ou de faire un wave sur des cheveux secs et fourchus ! Les dégâts s'accumulent.

- **Ne pas exercer de pression** sur votre cuir chevelu et vos cuticules dans les 2 semaines précédant l'application du produit chimique (tresses, tissage…).

- **Ne pas appliquer le produit directement sur votre cuir chevelu.** C'est très important. Ces produits chimiques sont corrosifs et on ne connaît pas bien leurs effets sur la santé. Si vous appliquez ces produits sur votre cuir chevelu, ils auront plus de chance de passer la barrière dermique et de rentrer dans votre organisme ou dans votre fœtus si vous êtes enceinte. En janvier 2012, un article de l'*American Journal of Epidemiology* a d'ailleurs mis en cause les défrisants dans le déclenchement du fibrome de l'utérus et dans l'apparition de troubles hormonaux.

- **Espacer les applications tous les trimestres environ, au minimum.**

- **Faites un soin protéiné fort** quelques jours avant l'application du produit. Cela renforcera votre kératine qui va être endommagée.

- **Faites un soin hydratant profond** après application pour aider vos cheveux à rester hydratés après la perte d'eau qu'ils ont subi.

4. ENVIRONNEMENT ET ÉTAT DE SANTÉ

LA POLLUTION

Saviez-vous que nos cheveux ont la capacité d'absorber les particules polluantes qui formeront ensuite des liens avec le sébum ? La pollution, ainsi absorbée, asphyxie les racines et rend les cheveux ternes. Laver ses cheveux régulièrement est donc une nécessité.

LE SOLEIL

L'excès de rayon UV et de chaleur dégrade le film hydrolipidique. Le cuir chevelu se rempli de toxines et perd de l'eau, ce qui laisse le cheveu mal nourri et déshydraté.

Il est donc important de protéger votre tête en portant un foulard, un chapeau et/ou en vous enduisant les cheveux d'une huile végétale protectrice (karité, coco, ricin…).

Sachez cependant qu'une exposition raisonnable au soleil est bénéfique pour la pousse car il stimule le métabolisme.

LA MER ET LA PISCINE

Le sel et le chlore peuvent endommager les cuticules et rendre le cheveu rêche et difficile à coiffer.
Avant d'aller dans l'eau, pensez bien à protéger vos cheveux avec une huile végétale protectrice. Après la baignade, lavez-vous les cheveux avec un shampoing très doux ou avec un après-shampoing.

LE FROID

Il favorise la rétractation des vaisseaux sanguins. En conséquence, le cuir chevelu est mal irrigué en sang. Le sébum est aussi moins important. C'est donc en hiver que les cheveux souffrent le plus de déshydratation.
Pendant cette période, n'hésitez pas à multiplier les soins hydratants profonds et les massages du cuir pour activer la circulation sanguine.

L'ÉTAT PSYCHIQUE

Nos cheveux réagissent au stress et à l'anxiété. Ses émotions peuvent causer des irritations, des cheveux blancs ou encore des chutes de cheveux. Sous l'effet des hormones, le cuir chevelu subit une mauvaise circulation sanguine et une accumulation de toxines qui peuvent déstructurer la kératine.
Le mieux est de relativiser, de se détendre et de prendre la vie du bon coté !

5. L'ALIMENTATION

Mal manger (trop gras, trop sucré, trop salé, ne pas manger assez…) vous prive des nutriments dont votre corps, et plus particulièrement vos cheveux, ont besoin.

En effet, les cheveux prélèvent ces éléments nutritifs dans la circulation sanguine par les racines. Dès que les cellules du cheveu sont expulsées de leurs racines, elles se durcissent et incorporent ces substances prélevées dans le sang. Cependant, la teneur en nutriments de ces cellules mortes durcies, qui ne sont autre que les longueurs visibles, n'est plus modifiable une fois sorties de leur racine. Cela signifie que nous ne pouvons pas transformer nos cheveux en y appliquant un produit externe, comme un produit cosmétique. Celui-ci n'aura pas la capacité d'apporter des nutriments aux cheveux et donc n'aura pas la capacité de les faire pousser.

La seule manière d'y parvenir est en intervenant de façon interne, en atteignant les cellules vivantes de l'organisme. Cela est possible uniquement par la respiration et l'alimentation. L'idée selon laquelle un produit cosmétique pourrait faire pousser les cheveux est un mythe. L'utilité d'un tel produit se limite à la rétention de l'hydratation et au camouflage des zones endommagées.

Ceci étant dit, il faut retenir que les cheveux profitent particulièrement d'une bonne hygiène de vie (pratiquer une activité sportive, prendre l'air, dormir suffisamment) car cela favorise une bonne oxygénation. Ils profitent également d'une alimentation équilibrée en :

- ***Protéines***. La protéine est le constituant principal du cheveu. Vous en trouverez dans les protéines animales (viande), les fruits de mer, les poissons, les légumineuses (haricots secs, lentilles…), les œufs, les oléagineux (noisettes, amandes, pistaches…).

- ***L'eau.*** Composant important du cheveu. Elle est indispensable à son hydratation. Vous en trouverez dans l'eau minérale, les laitages, les féculents cuits à l'eau (pates, riz, semoule…), le melon, la pastèque, la laitue, les sorbets.

- ***Vitamine A.*** Elle régule la production de kératine et de sébum. On en trouve dans le beurre, les abats, l'huile de poisson, les carottes, les choux, les abricots, les mangues.

- ***Vitamine E.*** Elle empêche le cuir chevelu de se déshydrater. On en trouve dans les germes de blé, l'huile de foie de morue, l'avocat, les huiles végétales, les oléagineux.

- ***Vitamines B*** (B1, B2, B3, B5, B6, B7, B9, B12). Elles participent au renouvellement cellulaire et donc à la formation de kératine. On en trouve dans la levure de bière, la gelée royale, le jaune d'œuf, les céréales germées, les champignons, le foie, le saumon, le thon.

- ***Fer.*** Il aide à l'oxygénation des cellules capillaires. On en trouve dans le boudin, le cacao, la viande, les lentilles.

- ***Soufre.*** Il active la kératine et donc la pousse. On en trouve dans l'oignon, l'ail, les radis noirs, le poireau.

- ***Zinc.*** Il favorise la formation de kératine et la pousse. On en trouve dans les noix, les germe de blé, les poissons, les fruits de mer.

- ***Oméga-3.*** Associé à l'oméga-6, déjà présent en abondance dans notre alimentation occidentale, il aide à la production de sébum et donc à l'hydratation des cheveux. On en trouve dans les poissons gras (sardine, saumon), les oléagineux, les huiles végétales de lin, de colza, de noix.

Les carences, dues à une mauvaise alimentation par exemple, peuvent sérieusement abîmer vos cheveux. Elles ne pourront jamais être compensées par l'application d'un produit externe. Notez aussi que des aliments frais et bio apportent les meilleurs nutriments.

6. AGRESSIONS SOCIALES ET MÉDIATIQUES

Notre mental est soumis à rude épreuve dans cette société où **le cheveu crépu n'est pas érigé en modèle de beauté.**
Il n'est pas étonnant de voir, dans nos sociétés occidentales, la beauté incarnée par la Caucasienne aux cheveux longs et raides, après tout elle représente la majorité des femmes occidentales. Par contre, ce qui est inquiétant, c'est que ce modèle de beauté soit profondément assimilé par les communautés afros (noires, métisses, maghrébines…), et ce jusque dans leurs pays d'origine !

Aux États-Unis, la marque Nivea a diffusé une publicité montrant un Afro-Américain bien rasé lançant en l'air une tête portant un afro et une barbe. Cette tête dont il se débarrasse est censée représenter son ancien « moi ». Cette publicité porte le slogan « Tu as l'allure de quelqu'un qui s'en fout. Retournes à la civilisation » *(Look like you give a damn. Re-civilize yourself)*. Comme si porter un afro était synonyme de manque de civilisation et de désinvolture !
La marque Dr Miracles a également diffusé un spot télévisé controversé ou l'on voit une Afro-Américaine frisée affolée devant un miroir s'écriant « J'ai besoin d'un nouveau soin capillaire ». Sa copine défrisée lui répond « T'as besoin d'un miracle ». La main illuminée de Dr Miracles apparaît alors, et lui apporte un pot de défrisant en proclamant « Ma formule fonctionne même sur les cheveux comme les tiens ! ». Comme si les cheveux crépus naturels étaient tellement laids

qu'il leur fallait un miracle pour être beau. Le défrisage étant LA solution, bien sûr !

Le cheveu crépu n'est heureusement pas un problème qu'il faudrait résoudre à coup de camouflage. Délivrons-nous de cette mentalité !

Un rejet du cheveu crépu qui dénote un manque d'estime de soi

Force est de constater que le message n'a pas changé. Depuis la sortie de nos ancêtres des bateaux négriers, on nous renvoie une image dégradante de nos cheveux en nous privant des éléments nécessaires à leur embellissement. Les esclaves ont été privés des accessoires adaptés à l'entretien de leurs cheveux, les laissant apparaître sales, mal coiffés et sujets aux moqueries de l'homme blanc qui allaient jusqu'à qualifier le cheveu crépu de crotte de mouton. Encore aujourd'hui nous sommes privés de la connaissance qu'avait nos ancêtres sur l'entretien de nos cheveux, et nous subissons le rejet de la société occidentale qui nous fait comprendre indirectement que notre cheveu ne mérite pas d'être montré en public. Comme le souligne Juliette Sméralda dans son livre ***Peau noire, cheveu crépu : L'histoire d'une aliénation***, depuis l'esclavage le cheveu crépu est associé au manque de raffinement et à la disgrâce. Sur les plantations, les maîtres donnaient aux femmes un foulard pour qu'elles puissent cacher leur chevelure. La société actuelle nous impose de faire de même sans quoi nous ne sommes pas perçus comme crédibles.

Depuis l'époque coloniale, c'est à croire que nous n'avons pas le choix, nous devons nous assimiler et gommer tous nos traits négroïdes. Or nous ne pouvons pas nous effacer d'un coup de gomme magique. Nous devons croire nous-mêmes que nous ne sommes pas les erreurs de la création humaine. Si nous ne le faisons pas, qui le fera à notre place ? Et qui le fera pour nos enfants ?

Sans intention militante, je cite Malcom X qui nous fait comprendre cette nécessité par ces mots :
« [...] Qui vous a appris à détester la nature de vos cheveux ? [...] Qui vous a appris à vous détester vous-même de la tête aux pieds ? [...] Qui vous a appris à détester les gens qui vous ressemblent ? Qui vous a appris à détester la race à laquelle vous appartenez à tel point que vous ne voulez même pas être l'un à coté de l'autre ? [...] qui vous a appris à détester ce que Dieu à fait de vous. »

En dépit des messages subliminaux véhiculés par le marketing, et au-delà de la discrimination sociale envers « le crépu », nous pouvons prouver que notre cheveu est magnifique, mais encore faut-il que nous fassions le nécessaire pour connaître ses véritables besoins. Nous avons bien cru au mensonge de la laideur du cheveu crépu pendant toutes ces années, faisons le chemin inverse dans notre inconscient pour croire en la vérité : **le cheveu crépu est beau[†], il suffit juste de savoir en prendre soin pour qu'il révèle sa somptuosité.**

[†] Retrouvez des inspirations de coiffures en photos sur la page Facebook ***Beautés afros aux cheveux naturels***.

5

BONUS

BONUS 1
SOINS « MAISON » ADAPTÉS AUX CHEVEUX CRÉPUS

Pour avoir accès sur le site lesastucesdekenoa.com aux recettes capillaires à base des ingrédients ci-dessous, munissez-vous du mot de passe suivant : **79114BHF148**

NOM	BIENFAITS	INDICATION
HUILES VÉGÉTALES		
Beurre de karité	Fait briller, embellit, nourrit en profondeur, hydrate, répare, apaise	Cheveux secs, abîmés, colorés, traités chimiquement, protection contre le soleil, le froid, le vent
Huile d'olive	Fait briller, nourrit, fortifie, apaise, antioxydant, protège	Cheveux ternes, dévitalisés, colorés, cuir chevelu irrités
Huile de coco	Fait briller, lisse, nourrit, fortifie, anti-poux, favorise la pousse, apaise les irritations	Cheveux secs, dévitalisés, ternes, fourchus, poux, pellicules, protection solaire
Huile de jojoba	Composition proche du sébum, fortifie, épaissit, fait briller, assouplit, revitalise, antichute, favorise la pousse	Pointes sèches, cheveux ternes, dévitalisés, cassants, fins
Huile de ricin	Fortifie, épaissit, favorise la pousse, réhydrate, répare	Cheveux secs, ternes traités chimiquement, abîmés, fourchus, cassant
Huile de sapote	Favorise la pousse, apaise, nourrit, lisse, fait briller, adoucie	Cheveux fragiles, dévitalisés, cuir chevelu sensible

NOM	BIENFAITS	INDICATION
HUILES VÉGÉTALES		
Beurre de cacao	Nourrit, revitalise, réhydrate	Cheveux secs, abîmés, fourchus
Huile d'amande douce	Combat les irritations, les pellicules et la déshydratation	Cheveux secs, fourchus, cassant, colorés, pellicules
Huile d'avocat	Fait briller, fortifie, stimule la pousse, aide à reformer la kératine	Cheveux secs, ternes, abîmés, chute de cheveux
Huile de macadamia	Antioxydant, filtre UV, limite les agressions du cheveu, apaise	Cheveux traités chimiquement, abîmés, haute protection
Huile de nigelle	Assainie, revitalise, assouplit, renforce	Cheveux secs, fragiles, pellicules, infections
Huile de sésame	Nourrit, protège, répare	Cheveux secs, abîmés, fragiles
Huile de yangu	Nourrit, protège, lisse, fortifie, régule le sébum	Cheveux secs, dévitalisés, abîmés, indisciplinés

Les huiles et beurres végétaux les plus efficaces sont bio et de première pression à froid.

NOM	BIENFAITS	INDICATION
EXTRAITS DE PLANTE (huiles essentiels, hydrolats, essence…)		
Aloe vera	Hydrate, renforce, apaise, cicatrise, hydrate, revitalise, protège, assouplit, régénère	Cheveux secs, ternes, cuir chevelu irrité, protection contre le soleil, le vent, le froid, piscine, mer,…
Bissap (Hibiscus)	Antioxydant, anti-inflammatoire, astringent, assainit, cicatrise, adoucit	Cheveux ternes, cuir chevelu irrité
Camomille	Désinfecte, anti-inflammatoire, régénère	Cuir chevelu irrité, cheveux abîmés
Citron	Antiseptique, stimule la circulation sanguine, tonifie, régule le sébum	Excès de sébum (peut assécher), cheveux ternes, dévitalisés
Lavande	Antiseptique, anti-inflammatoire, cicatrise, apaise	Cuir chevelu irrité, poux
Ortie	Assainit, fait briller, anti-pellicules, renforce	Cheveux dévitalisés, cassant, chute de cheveux, pellicules
Romarin	Astringent, antifongique, revitalise	Cheveux ternes, abîmés, pellicules
Sauge	Stimule la circulation sanguine, tonifie, régule le sébum et la sueur	Excès de sébum (peut assécher), pellicules, chute de cheveux
Ylang-ylang	Fait briller, favorise la pousse, aide au démêlage	Cheveux ternes, dévitalisés, chute de cheveux

NOM	BIENFAITS	INDICATION
ACTIFS CAPILLAIRES		
BTMS	Réduit l'électricité statique, lisse, démêle, adoucit, tonifie	Cheveux difficiles à démêler, abîmés, traités chimiquement
Panthénol ou Pro vitamine B5	Lubrifie, retient l'hydratation, fait briller, lisse, gaine, fortifie, favorise la pousse, apaise	Cheveux abîmés, fourchus, cassants, cuir chevelu irrité
Phyto kératine	Retient l'hydratation, fait briller, adoucit, renforce	Cheveux secs, abîmés, traités chimiquement
Protéines de riz hydrolysées	Retient l'hydratation, renforce, lisse, épaissit	Cheveux secs, abîmés, traités chimiquement, sans volume
Protéines de soie liquides	Retient l'hydratation, fait briller, adoucit, gaine, lisse	Cheveux secs, abîmés, traités chimiquement

NOM	BIENFAITS	INDICATION
POUDRES LAVANTES		
Argile blanche (kaolin)	Nettoie en absorbant les toxines, calme les irritations, régénère les cellules, apporte des nutriments	Shampoing doux pour cheveux secs et dévitalisés
Argile rose (illite + kaolin)		Shampoing doux pour cuir chevelu sensible
Argile jaune (illite)		Shampoing doux pour cuir chevelu sensible, gras
Henné neutre, naturel ou noir	Anti-pellicule, purifie, nettoie, gaine	Masque capillaire, coloration
Rhassoul	Dégraisse, adoucit, purifie, apaise	Shampoing doux
Shikakaï	Nettoie en douceur, anti-pellicules, fait briller, démêle	Shampoing doux

NOM	BIENFAITS	INDICATION
AUTRES		
Ail, oignon	Aide à la formation de la kératine, stimule la circulation sanguine, antibactérien, favorise la pousse	Cheveux fins, chute de cheveux
Lait d'avoine	Hydrate, assouplit, favorise la pousse, fortifie, antioxydant	Eau de rinçage pour cheveux ternes et cassants
Miel	Retient l'hydratation, antiseptique	Masque capillaire pour cheveux secs
Œuf	Nourrit	Masque capillaire pour cheveux secs (jaune d'œuf)
Rhum	Antiseptique, tonifie	Cheveux secs, ternes, cassants
Vinaigre de Cidre	Adoucit, fait briller, lisse, antibactérien, anti-pellicules, chélateur	Eau de rinçage pour cheveux ternes
Yaourt	Hydrate, adoucit, fait briller, assouplit	Masque capillaire pour cheveux rêches

BONUS 2
LES BONNES PRATIQUES D'ENTRETIEN

PROTÉGER DE LA CASSE
Dormir avec un bonnet en satin ou un oreiller en satin
Éviter les coiffures trop serrées
Changer de coiffure régulièrement
Adopter des coiffures protectrices (tresses, vanilles, chignons...)
Lisser vos cheveux à la température la plus basse possible
Limiter les manipulations chimiques (défrisage, coloration...)
SHAMPOING
Séparer ses cheveux en plusieurs sections
Malaxer très délicatement (ne pas frotter) son cuir chevelu
Lisser chaque section vers le bas avec la main, en douceur (sans tirer), pour appliquer le shampoing vers les pointes
La mousse n'est pas nécessaire
S'arrêter à un seul lavage à la fois (2 shampoings successifs seraient trop décapants)
Faire un dernier rinçage à l'eau froide ou au vinaigre de cidre
S'essuyer les cheveux avec une serviette en microfibre ou un T-shirt en coton pour limiter les frictions

SE COIFFER/ DÉMÊLER
Se peigner avec un peigne à grosses dents ou avec les doigts
Se brosser avec une brosse en poil de soie pour bébé
Ne pas démêler ses cheveux à sec. Les enduire d'un conditionneur avant
Démêler en commençant par les pointes, puis finir par les racines
SOINS PROFONDS
Faire un bain d'huile avant ou après le shampoing avec une huile ou un beurre végétal chauffé
Laisser poser le soin hydratant plus de 15 minutes sous la chaleur ou sous une charlotte, pour plus d'efficacité
Faire un soin protéiné sur cheveux traités chimiquement, toutes les 6 semaines
MASSAGE DU CUIR CHEVELU
Masser dans le sens de la circulation sanguine : de la nuque vers le front et des oreilles vers le haut du crâne
Faire glisser le cuir sur la tête (et pas les doigts sur la peau). C'est le cuir chevelu qui doit bouger plutôt que les doigts
Eviter les massages pendant le shampoing
NUTRITION
Boire beaucoup d'eau, pour l'hydratation intérieure
Manger des protéines, pour favoriser la qualité des chaînes de kératine
Manger équilibré, pour un apport suffisant en vitamines et en acides gras essentiels

Conclusion

Ce livre rassemble les bases à connaître en vu de l'entretien du cheveu crépu. C'est l'ouvrage que j'aurai aimé avoir avant de me lancer dans ma propre aventure capillaire. Car, au début, nous sommes noyées sous le flot d'informations provenant des blogs d'initiées, des vidéos Youtube et autres sources publiques. Les avis y divergent souvent selon les expériences de chacune, et il est parfois difficile de lier toutes ces informations entre elles. Ce livre vient apporter un peu de clarté dans cette obscurité capillaire. Il permet d'identifier les causes majeures de la mauvaise santé de nos cheveux, et la façon de l'améliorer.

À force de persévérance on arrive à tout. Alors restons motivées, soutenons-nous les unes et les autres, montrons au monde que les cheveux qui ont été tant de fois ridiculisés sont d'une insolente beauté.

Remerciements

À mon mari et meilleur ami. Un homme merveilleux qui me soutient dans toutes mes entreprises. Merci de m'avoir aidé à réaliser ce projet qui me tenait à cœur, merci d'avoir compris quelle était ma passion. Merci pour tes précieux conseils et ton optimisme inébranlable. Sans toi, ce livre n'existerait pas.

À mon fils. Merci pour la joie que tu m'apportes. J'espère que tu trouveras ce livre utile et qu'il te rendra fier de ta maman.

À ma mère. Une femme formidable qui m'a appris, et m'apprend toujours, ce qu'est la patience, le sacrifice et la dignité. Merci à mes parents de m'avoir appris dès le plus jeune âge à ne pas avoir honte de mes cheveux naturels.

À ma Catherine. Merci pour ta sincère amitié et ta disponibilité.

À ma sœur. Merci pour ton enthousiasme. Merci de me faire confiance.

À vous lecteurs. À tous ceux qui croient en moi et qui souhaitent mon épanouissement. Merci pour vos encouragements.

À toutes celles qui me suivent sur mon site. Merci pour vos contributions et pour votre sens du partage.

Printed in Great Britain
by Amazon.co.uk, Ltd.,
Marston Gate.